Suhrkamp BasisBibliothek 4

Diese Ausgabe der »Suhrkamp BasisBibliothek – Arbeitstexte für Schule und Studium« bietet nicht nur Georg Büchners Erzählung *Lenz* in einer neu erarbeiteten Fassung, sondern auch zahlreiche Dokumente zum Fall Jakob Michael Reinhold Lenz wie etwa die Aufzeichnungen J. F. Oberlins *Der Dichter Lenz, im Steinthale* oder Auszüge aus J. W. Goethes *Dichtung und Wahrheit*.

Ergänzt wird diese Edition von einem Kommentar, der alle für das Verständnis des Werks erforderlichen Informationen und Materialien enthält: eine Zeittafel, die Entstehungs- und Überlieferungsgeschichte, Dokumente zur Wirkung, Wort- und Sacherläuterungen sowie Literaturhinweise. Der Kommentar ist den neuen Rechtschreibregeln entsprechend verfasst. Zu diesem Buch sind auch eine CD-ROM der Firma terzio und ein Audio Book des HörVerlags erhältlich.

Burghard Dedner, geb. 1942, ist Leiter der Forschungsstelle Georg Büchner an der Philipps-Universität Marburg.

Georg Büchner
Lenz

Neu hergestellt, kommentiert und
mit zahlreichen Materialien versehen
von Burghard Dedner

Suhrkamp

Die folgende Ausgabe verwertet auf allen Ebenen Teilergebnisse
von Forschungen, die bei den Arbeiten an der Marburger Ausgabe der *Sämtlichen Werke und Schriften Georg Büchners*, speziell an dem *Lenz*-Band dieser Ausgabe (hg. von Burghard Dedner und Hubert Gersch, unter Mitarbeit von Eva-Maria Vering,
Werner Weiland und Ariane Martin) gewonnen wurden. Dem
Mitherausgeber, den Mitarbeitern der Forschungsstelle sowie
Carolin Seling, die einen größeren Teil der psychiatriegeschicht-
lichen Forschungsergebnisse erarbeitet hat, sei für ihre unmit-
telbare oder mittelbare Mitwirkung an dieser Publikation ge-
dankt.

Originalausgabe
Suhrkamp BasisBibliothek 4
Erste Auflage 1998

Satz: Pagina GmbH, Tübingen
Druck: Ebner Ulm
Umschlaggestaltung: Hermann Michels
Printed in Germany

1 2 3 4 5 6 – 03 02 01 00 99 98

Inhalt

⌜Den 20.⌝ ging Lenz durch's Gebirg. Die Gipfel und hohen Bergflächen im Schnee, die Thäler hinunter graues Gestein, grüne Flächen, Felsen und Tannen. Es war naßkalt, das Wasser rieselte die Felsen hinunter und sprang über den Weg. Die Äste der Tannen hingen ⌜schwer herab in die feuchte Luft. Am Himmel zogen graue Wolken, aber Alles so dicht*, und dann dampfte der Nebel herauf und strich schwer und feucht durch das Gesträuch, so träg, so plump. Er ging gleichgültig⌝ weiter, es lag ihm nichts am Weg, bald auf- bald abwärts. Müdigkeit spürte er keine, nur war es ihm manchmal unangenehm, daß er nicht auf dem Kopf gehn* konnte. Anfangs ⌜drängte es ihm in der Brust⌝, wenn das Gestein so wegsprang, der graue Wald sich unter ihm schüttelte, und der Nebel die Formen bald verschlang, bald die gewaltigen Glieder halb enthüllte; es drängte in ihm, er suchte nach etwas, wie nach verlornen Träumen, aber er fand nichts. Es war ihm alles so klein, so nahe, so naß, er hätte die Erde hinter den Ofen setzen* mögen, er begriff nicht, daß er so viel Zeit brauchte, um einen Abhang hinunter zu klimmen, einen fernen Punkt zu erreichen; er meinte, er müsse Alles mit ein Paar Schritten ausmessen können. ⌜Nur manchmal, wenn⌝ der Sturm das Gewölk in die Thäler warf, und es den Wald herauf dampfte, und die Stimmen an den Felsen wach wurden, bald wie fern verhallende Donner, und dann gewaltig heran brausten, in Tönen, als wollten sie in ihrem wilden Jubel die Erde besingen, und die Wolken wie wilde wiehernde Rosse heransprengten, und der Sonnenschein dazwischen durchging und kam und sein blitzendes Schwert an den Schneeflächen zog, so daß ein helles, blendendes Licht über die Gipfel in die Thäler schnitt; oder wenn der Sturm das Gewölk abwärts trieb und einen lichtblauen See hineinriß, und dann

hier vmtl.: nahe

verkehrte, tolle, unerhörte Dinge treiben

Nach einer Redensart, die den Schwachen oder Alten den warmen Platz hinter dem Ofen zuweist.

der Wind verhallte und tief unten aus den Schluchten, aus
den Wipfeln der Tannen wie ein Wiegenlied und Glocken-
geläute heraufsummte, und am tiefen Blau ein leises Roth
hinaufklomm, und kleine Wölkchen auf silbernen Flügeln
durchzogen und alle Berggipfel scharf und fest, weit über 5
das Land hin glänzten und blitzten, ⌐riß es ihm in der Brust,
er stand, ⌐keuchend⌐, den Leib vorwärts gebogen, Augen
und Mund weit offen, er meinte, er müsse den Sturm in sich
ziehen, Alles in sich fassen, er dehnte sich aus und lag über
der Erde, er wühlte sich in das All hinein, es war eine Lust, 10
die ihm wehe that⌐; oder er stand still und legte das Haupt
in's Moos und schloß die Augen halb, und dann zog es weit
von ihm, die Erde wich unter ihm, sie wurde klein wie ein
wandelnder Stern* und tauchte sich in einen brausenden
Strom, der seine klare Fluth unter ihm zog. Aber es waren 15
nur Augenblicke, und dann erhob er sich nüchtern, fest,
ruhig als wäre ein Schattenspiel* vor ihm vorübergezogen,
er wußte von nichts mehr. Gegen Abend kam er auf die
Höhe des Gebirgs, auf das ⌐Schneefeld⌐, von wo man wieder hinabstieg in die Ebene nach Westen, er setzte sich oben 20
nieder. Es war gegen Abend ruhiger geworden; das Gewölk
lag fest und unbeweglich am Himmel, ⌐so weit der Blick
reichte, nichts als Gipfel⌐, von denen sich breite Flächen
hinabzogen, und alles so still, grau, dämmernd; es wurde
ihm entsetzlich einsam, er war allein, ganz allein, er wollte 25
mit sich sprechen, aber er konnte, er wagte kaum zu ath-
men, das Biegen seines Fußes tönte wie Donner unter ihm,
er mußte sich niedersetzen; es faßte ihn eine namenlose
Angst in diesem Nichts, er war im Leeren, er riß sich auf*
und flog den Abhang hinunter. Es war finster geworden, 30
Himmel und Erde verschmolzen in Eins. ⌐Es war als ginge
ihm was nach⌐, und als müsse ihn was Entsetzliches erreichen, etwas das Menschen nicht ertragen können, als jage
der Wahnsinn auf Rossen hinter ihm. Endlich hörte er
Stimmen, er sah Lichter, es wurde ihm leichter, man sagte 35

Lenz

ihm, er hätte noch eine halbe Stunde nach *Waldbach**. Er
ging durch ⌐das Dorf⌐, die Lichter schienen durch die Fenster, er sah hinein im Vorbeigehen, Kinder am Tische, alte
Weiber, Mädchen, Alles ⌐ruhige, stille Gesichter⌐, es war
ihm als müsse das Licht von ihnen ausstrahlen, es ward ihm
leicht, er war bald in Waldbach im ⌐Pfarrhause⌐. Man saß
am Tische, er hinein; ⌐die blonden Locken hingen ihm um
das bleiche Gesicht⌐, es zuckte ihm in den Augen und um
den Mund, ⌐seine Kleider waren zerrissen⌐. *Oberlin** hieß
ihn willkommen, er hielt ihn für einen Handwerker. »Seyn
Sie mir willkommen, obschon Sie mir unbekannt.« – Ich
bin ein ⌐Freund von . . . .⌐ und bringe Ihnen Grüße von ihm.
»Der Name, wenn's beliebt« . . . *Lenz.* »Ha, ha, ha, ist er
nicht gedruckt? Habe ich nicht ⌐einige Dramen gelesen, die
einem Herrn dieses Namens zugeschrieben werden⌐?« Ja,
aber belieben Sie mich nicht darnach zu beurtheilen. Man
sprach weiter, er suchte nach Worten und erzählte rasch,
aber auf der Folter; nach und nach wurde er ruhig, ⌐das
heimliche** Zimmer⌐ und die stillen Gesichter, die aus dem
Schatten hervortraten, das helle Kindergesicht, auf dem
alles Licht zu ruhen schien und das neugierig, vertraulich
aufschaute, bis zur Mutter, die hinten im Schatten engel-
gleich stille saß. Er fing an zu erzählen, von seiner Heimath**; er zeichnete allerhand Trachten, man drängte sich
theilnehmend um ihn, er war gleich zu Haus, sein blasses
⌐Kindergesicht⌐, das jetzt lächelte, sein lebendiges Erzählen; er wurde ruhig, es war ihm ⌐als träten alte Gestalten,
vergessene Gesichter wieder aus dem Dunkeln⌐, alte Lieder
wachten auf, er war weg, weit weg. Endlich war es Zeit
zum Gehen, man führte ihn über die Straße, das Pfarrhaus
war zu eng, man gab ihm ein Zimmer im Schulhause**. Er
ging hinauf, es war kalt oben, eine weite Stube, leer, ein
hohes Bett im Hintergrund, er stellte das Licht auf den
Tisch, und ging auf und ab, er besann sich wieder auf den
Tag, wie er hergekommen, wo er war, das Zimmer im

oder Walders-
bach; Sitz der
Pfarrei Johann
Friedrich Ober-
lins im Steintal

Johann
Friedrich Ober-
lin (1740–
1826), seit
1767 Pfarrer in
Waldersbach

vertraut, »wie
zu Hause«

Livland, das
heutige
Estland

ein 1769–1771
errichtetes,
zweigeschos-
siges Gebäude
gegenüber
dem Pfarrhaus

Pfarrhause mit seinen Lichtern und lieben Gesichtern, es war ihm wie ein Schatten, ein Traum, und es wurde ihm ⌜leer⌝, wieder wie auf dem Berg, aber er konnte es mit nichts mehr ausfüllen, das Licht war erloschen, die Finsterniß verschlang Alles; eine unnennbare Angst erfaßte ihn, er sprang auf, er lief durchs Zimmer, die Treppe hinunter, vor's Haus; aber umsonst, Alles finster, nichts, ⌜er war sich selbst ein Traum⌝, einzelne Gedanken huschten auf, er hielt sie fest, es war ihm ⌜als müsse er immer »Vater unser« sagen⌝; er konnte sich nicht mehr finden, ein dunkler Instinkt trieb ihn, sich zu retten, er stieß an die Steine, er riß sich mit den Nägeln, ⌜der Schmerz fing an, ihm das Bewußtsein wiederzugeben⌝, er stürzte sich in den ⌜Brunnstein⌝, aber das Wasser war nicht tief, er patschte darin. Da kamen Leute, man hatte es gehört, man rief ihm zu. Oberlin kam gelaufen; Lenz war wieder zu sich gekommen, das ganze Bewußtsein seiner Lage, es war ihm wieder leicht, jetzt schämte er sich und war betrübt, daß er den guten Leuten Angst gemacht, er sagte ihnen, daß er ⌜gewohnt sey kalt zu baden⌝, und ging wieder hinauf; die Erschöpfung ließ ihn endlich ruhen.

Den andern Tag ging es gut. Mit Oberlin zu Pferde durch das Thal; breite Bergflächen, die aus großer Höhe sich in ein schmales, gewundnes Thal zusammenzogen, das in mannichfachen Richtungen sich hoch an den Bergen hinaufzog, große Felsenmassen, die sich nach unten ausbreiteten, ⌜wenig Wald⌝, aber alles im grauen ernsten Anflug[*], eine Aussicht ⌜nach Westen in das Land hinein und auf die Bergkette, die sich grad hinunter nach Süden und Norden⌝ zog, und deren Gipfel gewaltig, ernsthaft oder schweigend still, wie ein dämmernder Traum standen. Gewaltige Lichtmassen, die manchmal aus den Thälern, wie ein goldner Strom schwollen, dann wieder Gewölk, das an dem höchsten Gipfel lag, und dann langsam den Wald herab in das Thal klomm, oder in den Sonnenblitzen sich wie ein fliegendes silbernes Gespenst herabsenkte und hob; kein

Begriff für schwachen Farbton, wie engl. »touch«

Lärm, keine Bewegung, kein Vogel, nichts als das bald nahe, bald ferne Wehn des Windes. Auch erschienen Punkte, Gerippe von Hütten*, Bretter mit Stroh gedeckt, von schwarzer ernster Farbe. ⌜Die Leute, schweigend und ernst, als wagten sie die Ruhe ihres Thales nicht zu stören, grüßten ruhig⌝, wie sie vorbeiritten. In den Hütten war es lebendig, man drängte sich um Oberlin, er wies zurecht, gab Rath, tröstete; überall zutrauensvolle Blicke, Gebet. ⌜Die Leute erzählten Träume, Ahnungen*⌝. ⌜Dann rasch in's praktische Leben, Wege angelegt, Kanäle gegraben⌝, ⌜die Schule besucht⌝. Oberlin war ⌜unermüdlich⌝, Lenz fortwährend sein Begleiter, bald in Gespräch, bald thätig am Geschäft, bald in die Natur versunken. Es wirkte alles wohlthätig und beruhigend auf ihn, er mußte Oberlin oft in die Augen sehen, und die mächtige Ruhe, die uns über der ruhenden Natur, im tiefen Wald, in mondhellen schmelzenden Sommernächten überfällt, schien ihm noch näher, in ⌜diesem ruhigen Auge, diesem ehrwürdigen ernsten Gesicht⌝. Er war ⌜schüchtern⌝, aber er machte Bemerkungen, er sprach, Oberlin war sein Gespräch sehr angenehm, und das anmuthige Kindergesicht Lenzens machte ihm große Freude. Aber nur so lange das Licht im Thale lag, war es ihm erträglich; gegen Abend befiel ihn eine sonderbare Angst, er hätte der Sonne nachlaufen mögen; wie die Gegenstände nach und nach schattiger wurden, kam ihm Alles so traumartig, so zuwider vor, es kam ihm die Angst an wie Kindern, die im Dunkeln schlafen; es war ihm als sey er blind; jetzt wuchs sie, ⌜der Alp des Wahnsinns setzte sich zu seinen Füssen⌝, der rettungslose Gedanke, als sey Alles nur sein Traum, öffnete sich vor ihm, er klammerte sich an alle Gegenstände, Gestalten zogen rasch an ihm vorbei, er drängte sich an sie, es waren Schatten, das Leben wich aus ihm und ⌜seine Glieder waren ganz starr⌝. Er sprach, er sang, er recitirte ⌜Stellen aus Shakespeare⌝, er griff nach Allem, was sein Blut sonst hatte rascher fließen machen*, er

Im Steintal waren die Behausungen aus Holz gebaut und meist mit Stroh gedeckt.

zeitgenössisch gebräuchlich für Visionen oder Vorstellungen vom Jenseits oder von künftigen Ereignissen

Trägheit des Blutes galt als Ursache oder Begleiterscheinung der Melancholie.

versuchte Alles, aber kalt, kalt. Er mußte dann hinaus ins Freie, das wenige, durch die Nacht zerstreute Licht, wenn seine Augen an die Dunkelheit gewöhnt waren, machte ihm besser, er stürzte sich in den Brunnen, die grelle Wirkung des Wassers machte ihm besser, auch hatte er eine ⁵ geheime Hoffnung auf eine Krankheit, er verrichtete sein Bad jetzt mit weniger Geräusch. Doch jemehr er sich in das Leben hineinlebte, ward er ruhiger, ⌐er unterstützte Oberlin, zeichnete⌐, las die Bibel; alte vergangne Hoffnungen gingen in ihm auf; das neue Testament trat ihm hier so ¹⁰ entgegen, und ⌐eines Morgens ging er hinaus⌐. Wie Oberlin

unaufhaltbare
ihm erzählte, ⌐wie ihn eine unaufhaltsame* Hand auf der

biblisch: Zeichen für die Majestät Gottes
Brücke gehalten hätte⌐, wie auf der Höhe ein Glanz* seine Augen geblendet hätte, wie er eine Stimme gehört hätte, ⌐wie es in der Nacht mit ihm gesprochen⌐, und ⌐wie Gott so ¹⁵

hier in der neutestamentarisch positiven Bedeutung wie in Matth. 18,2f.: »werdet wie die Kinder«
ganz bei ihm eingekehrt⌐, daß er kindlich* seine ⌐Loose aus der Tasche⌐ holte, um zu wissen, was er thun sollte, dieser Glaube, dieser ewige Himmel im Leben, dies ⌐Seyn in Gott⌐; jetzt erst ging ihm die heilige Schrift auf. Wie den Leuten die Natur so nah trat, alles in himmlischen Mysterien*; ²⁰

Offenbarungshandlungen Gottes
aber nicht gewaltsam majestätisch, sondern noch vertraut!

in räumlicher Bedeutung: »auf dem weitern Weg«
– Er ging des Morgens hinaus, die Nacht war Schnee gefallen, im Thal lag heller Sonnenschein, aber weiterhin* die Landschaft halb im Nebel. Er kam bald vom Weg ab, und eine sanfte Höhe hinauf, keine Spur von Fußtritten mehr, ²⁵ neben einem Tannenwald hin, die Sonne schnitt Krystalle, der Schnee war leicht und flockig, hie und da Spur von Wild leicht auf dem Schnee, die sich ins Gebirg hinzog. Keine Regung in der Luft als ein leises Wehen, als das Rauschen eines Vogels, der die Flocken leicht vom Schwanze ³⁰ stäubte. Alles so still, und die Bäume weithin mit schwankenden weißen Federn in der tiefblauen Luft. Es wurde ihm

vertraut
heimlich* nach und nach, die einförmigen gewaltigen Flächen und Linien, vor denen es ihm manchmal war, als ob sie ihn ⌐mit gewaltigen Tönen anredeten⌐, waren verhüllt, ³⁵

ein heimliches Weihnachtsgefühl beschlich ihn, er meinte manchmal seine Mutter müsse hinter einem Baume hervortreten, groß, und ihm sagen, sie hätte ihm dies Alles bescheert; wie er hinunterging, sah er, daß ⌐um seinen Schatten sich ein Regenbogen von Strahlen⌐ legte, es wurde ihm, als hätte ihn was ⌐an der Stirn berührt, das Wesen sprach ihn an⌐. Er kam hinunter. Oberlin war im Zimmer, Lenz kam heiter auf ihn zu, und sagte ihm, er möge wohl einmal predigen. »Sind Sie ⌐Theologe⌐?« – Ja! – »Gut, nächsten Sonntag.« Lenz ging vergnügt* auf sein Zimmer, er dachte auf einen Text zum Predigen* und verfiel in Sinnen, und seine Nächte wurden ruhig. Der Sonntagmorgen kam, es war Thauwetter eingefallen. Vorüberstreifende Wolken, Blau dazwischen, die Kirche lag neben* am Berg hinauf, auf einem Vorsprung, der Kirchhof drum herum. Lenz stand oben, wie die Glocke läutete und die Kirchengänger, die Weiber und Mädchen in ihrer ernsten schwarzen Tracht*, das weiße gefaltete Schnupftuch auf dem Gesangbuche und den Rosmarinzweig ⌐von den verschiedenen Seiten⌐ ⌐die schmalen Pfade zwischen den Felsen⌐ herauf und herab kamen. Ein Sonnenblick lag manchmal über dem Thal, die laue Luft regte sich langsam, die Landschaft schwamm im Duft*, fernes Geläute, es war als löste sich alles in eine harmonische Welle auf.

Auf dem kleinen Kirchhof war der Schnee weg, dunkles Moos unter den schwarzen Kreuzen, ein verspäteter Rosenstrauch lehnte an der Kirchhofmauer, verspätete Blumen dazu unter dem Moos hervor, manchmal Sonne, dann wieder dunkel. Die Kirche fing an, die ⌐Menschenstimmen begegneten sich⌐ im reinen hellen Klang; ein Eindruck, als schaue man in reines durchsichtiges Bergwasser. Der Gesang verhallte, Lenz sprach, er war schüchtern, unter den Tönen ⌐hatte sein Starrkrampf sich ganz gelegt, sein ganzer Schmerz wachte jetzt auf, und legte sich in sein Herz. Ein süßes Gefühl unendlichen Wohls⌐ beschlich ihn. ⌐Er sprach

zufrieden

dachte über einen Bibeltext nach, über den er predigen wollte

daneben

landesübliche Kirchentracht

feiner Dunst, leichter Nebel

einfach⌝ mit den Leuten, sie litten alle mit ihm, und es war ihm ein Trost, wenn er über einige müdgeweinte Augen Schlaf, und gequälten Herzen Ruhe bringen, wenn er über dieses ⌜von materiellen Bedürfnißen gequälte Seyn, diese dumpfen Leiden gen Himmel leiten⌝ konnte. Er war fester geworden, wie er schloß, da fingen die Stimmen wieder an:

> ⌜Laß in mir die ⌜heil'gen Schmerzen⌝,
> Tiefe Bronnen ganz aufbrechen;
> Leiden sey all' mein Gewinnst,
> Leiden sey mein Gottesdienst.⌝

Das Drängen in ihm, die Musik, der Schmerz, erschütterte ihn. ⌜Das All war für ihn in Wunden⌝; er fühlte tiefen unnennbaren Schmerz davon. Jetzt, ⌜ein anderes Seyn, göttliche, zuckende Lippen bückten sich über ihm aus*, und sogen sich an seine Lippen; er ging auf sein einsames Zimmer. Er war allein, allein! Da rauschte die Quelle, Ströme brachen aus seinen Augen, er krümmte sich in sich, es zuckten seine Glieder, es war ihm als müsse er sich auflösen, er konnte kein Ende finden der Wollust; endlich dämmerte es in ihm*, er empfand ein leises tiefes Mitleid in sich selbst, er weinte über sich, ⌜sein Haupt sank auf die Brust⌝, er schlief ein, der Vollmond stand am Himmel, die Locken fielen ihm über die Schläfe und das Gesicht, die Thränen hingen ihm an den Wimpern und trockneten auf den Wangen, so lag er nun da allein, und Alles war ruhig und still und kalt, und der Mond schien die ganze Nacht und stand über den Bergen.⌝

Am folgenden Morgen kam er herunter, er erzählte Oberlin ganz ruhig, wie ihm die Nacht seine Mutter erschienen sey; sie sey in einem weißen Kleide aus der dunkeln Kirchhofmauer hervorgetreten, und habe eine weiße und eine rothe Rose an der Brust stecken gehabt; sie sey dann in eine Ecke gesunken, und die Rosen seyen langsam über sie gewachsen, ⌜sie sey gewiß todt⌝; er sey ganz ruhig darüber. Oberlin versetzte ihm nun, wie er bei dem Tod seines Va-

lexikalisch nicht belegt

hier vmtl.: kam er wieder zu sich

ters allein auf dem Felde gewesen sey, und er dann eine Stimme gehört habe, so daß er wußte, daß sein Vater todt sey, und wie er heimgekommen, sey es so gewesen. Das führte sie weiter, Oberlin sprach noch von den Leuten ⌐im Gebirge, von Mädchen, die das Wasser und Metall unter der Erde fühlten, von Männern, die auf manchen Berghöhen⌐ angefaßt würden und mit einem Geiste rängen*; er vgl. 21.7–9 sagte ihm auch, wie er einmal im Gebirg ⌐durch das Schauen in ein leeres tiefes Bergwasser in eine Art von Somnambulismus versetzt⌐ worden sey. Lenz sagte, daß der Geist des Wassers über ihn gekommen sey, daß er dann etwas von seinem eigenthümlichen Seyn empfunden hätte. Er fuhr weiter fort: Die einfachste, reinste Natur hinge am nächsten mit der elementarischen zusammen, je feiner der Mensch geistig fühlt und lebt, um so abgestumpfter würde dieser elementarische Sinn; er halte ihn nicht für einen hohen Zustand, er sey nicht selbstständig genug, aber er meine, es müsse ein unendliches Wonnegefühl seyn, so von dem eigenthümlichen Leben jeder Form berührt zu werden; für Gesteine, Metalle, Wasser und Pflanzen eine Seele zu haben; so traumartig jedes Wesen in der Natur in sich aufzunehmen, wie die Blumen mit dem Zu- und Abnehmen des Mondes die Luft.

Er sprach sich selbst weiter aus, wie in Allem eine unaussprechliche Harmonie, ein Ton, eine Seeligkeit sey, die in den höhern Formen mit mehr Organen aus sich herausgriffe, tönte, auffaßte und dafür aber auch um so tiefer afficirt* würde, wie in den niedrigen Formen Alles zurück- berührt, beeinflusst gedrängter, beschränkter, dafür aber auch die Ruhe in sich größer sey. Er verfolgte das noch weiter. Oberlin brach es ab, es führte ihn zu weit von ⌐seiner einfachen Art⌐ ab. Ein andermal zeigte ihm Oberlin ⌐Farbentäfelchen, er setzte ihm auseinander, in welcher Beziehung jede Farbe mit dem Menschen stände, er brachte zwölf Apostel heraus, deren jeder durch eine Farbe repräsentirt würde⌐. Lenz faßte das

Heinrich Jung-Stilling (1740–1817), rel. Volksschriftsteller

auf, er spann die Sache weiter, kam in ängstliche Träume, und fing an ⌐wie Stilling* die Apocalypse zu lesen, und las viel in der Bibel⌐.

Um diese Zeit kam ⌐*Kaufmann*⌐ mit seiner Braut in's Steinthal. Lenzen war Anfangs das Zusammentreffen unangenehm, er hatte sich ⌐so ein Plätzchen⌐ zurechtgemacht, ⌐das bischen Ruhe war ihm so kostbar⌐ und jetzt kam ihm Jemand entgegen, der ihn an so vieles erinnerte, mit dem er sprechen, reden mußte, der seine Verhältnisse kannte. Oberlin wußte von Allem nichts; er hatte ihn aufgenommen, gepflegt; er sah es als eine Schickung Gottes, der den Unglücklichen ihm zugesandt hätte, er liebte ihn herzlich. Auch war es Alles nothwendig, daß er da war, er gehörte zu ihnen, als wäre er schon längst da, und Niemand frug*,

zeitgenössisch noch üblich für: fragte

woher er gekommen und wohin er gehen werde. Über

bei Tisch, während des Essens

Tisch* war Lenz wieder in guter Stimmung, ⌐man sprach von Literatur⌐, er war auf seinem Gebiete; die ⌐idealistische Periode⌐ fing damals an, Kaufmann war ein Anhänger davon, Lenz widersprach heftig. Er sagte: Die Dichter, von denen man sage, sie geben die Wirklichkeit, hätten auch keine Ahnung davon, doch seyen sie ⌐immer noch erträglicher, als die, welche die Wirklichkeit verklären wollten⌐. Er sagte: ⌐Der liebe Gott hat die Welt wohl gemacht wie sie seyn soll⌐, und wir können wohl nicht was Besseres klecksen, unser einziges Bestreben soll seyn, ihm ein wenig nachzuschaffen. Ich verlange in allem Leben, Möglichkeit des Daseins, und dann ist's gut; wir haben dann nicht zu fragen, ⌐ob es schön, ob es häßlich ist⌐, das Gefühl, daß Was geschaffen sey, Leben habe, stehe über diesen Beiden, und sey das einzige Kriterium* in Kunstsachen. Übrigens be-

Kennzeichen, Prüfstein

gegne es uns nur selten, ⌐in Shakespeare finden wir es und in den Volksliedern tönt es einem ganz, in Göthe manchmal entgegen⌐. Alles Übrige kann man ⌐ins Feuer werfen⌐. Die Leute können auch keinen Hundsstall zeichnen. Da wolle man idealistische Gestalten, aber Alles, was ich davon ge-

16

sehen, sind ⌜Holzpuppen⌝. Dieser ⌜Idealismus⌝ ist die schmählichste Verachtung der menschlichen Natur. ⌜Man versuche es einmal und senke sich in das Leben des Geringsten⌝ und gebe es wieder, in den Zuckungen, den Andeutungen, dem ganzen feinen, kaum bemerkten Mienenspiel; er hätte dergleichen versucht im »Hofmeister« und den »Soldaten«*. Es sind die prosaischsten* Menschen unter der Sonne; aber die Gefühlsader ist in fast allen Menschen gleich, nur ist die Hülle mehr oder weniger dicht, durch die sie brechen muß. Man muß nur Aug und Ohren dafür haben. Wie ich gestern neben* am Thal hinaufging, sah ich auf einem Steine zwei Mädchen sitzen, die eine band ihre Haare auf, die andre half ihr; und das goldne Haar hing herab, und ein ernstes bleiches Gesicht, und doch so jung, und die schwarze Tracht und die andre so sorgsam bemüht. Die schönsten, innigsten Bilder der ⌜altdeutschen Schule⌝ geben kaum eine Ahnung davon. Man möchte manchmal ein Medusenhaupt* seyn, um so eine Gruppe in Stein verwandeln zu können, und den Leuten zurufen. Sie standen auf, die schöne Gruppe war zerstört; aber wie sie so hinabstiegen, zwischen den Felsen war es wieder ein anderes Bild. Die schönsten Bilder, die schwellendsten Töne, gruppiren, lösen sich auf. Nur eins bleibt, eine unendliche Schönheit, die aus einer Form in die andre tritt, ewig aufgeblättert, verändert, man kann sie aber freilich nicht immer festhalten und in Museen stellen und auf Noten ziehen und dann Alt und Jung herbeirufen, und die Buben und Alten darüber radotiren* und sich entzücken lassen. Man muß die ⌜Menschheit⌝ lieben, um in das eigenthümliche Wesen jedes einzudringen, es darf einem keiner zu gering, keiner zu häßlich seyn, erst dann kann man sie verstehen; das unbedeutendste Gesicht macht einen tiefern Eindruck als die bloße Empfindung des Schönen, und man kann die Gestalten aus sich heraustreten lassen, ⌜ohne etwas vom Äußern hinein zu kopiren⌝, ⌜wo einem kein Leben, keine

Theaterstücke von Jakob Lenz von 1774 bzw. 1776

alltäglich, gewöhnlich

daneben

Medusa ist die Figur eines griech. Mythos, die jeden, den ihr Blick traf, in Stein verwandelte.

unsinnig reden, faseln

Muskeln, kein Puls entgegen schwillt und pocht. Kaufmann warf ihm vor, daß er in der Wirklichkeit doch keine Typen für einen Apoll von Belvedere* oder eine Raphaelische Madonna⌐ finden würde. Was liegt daran, versetzte er, ich muß gestehen, ich fühle mich dabei sehr todt, wenn ich in mir arbeite, kann ich auch wohl was dabei fühlen, aber ⌐ich thue das Beste daran⌐. ⌐Der Dichter und Bildende ist mir der Liebste, der mir die Natur am Wirklichsten giebt⌐, so daß ich über seinem Gebild fühle, Alles Übrige stört mich. ⌐Die Holländischen Maler sind mir lieber, als die Italiänischen⌐, sie sind auch die einzigen faßlichen; ich kenne nur zwei Bilder, und zwar von Niederländern, die mir einen Eindruck gemacht hätten, wie das neue Testament; das Eine ist, ich weiß nicht von wem, ⌐Christus und die Jünger von Emaus*⌐. Wenn man so liest, wie die Jünger hinausgingen, es liegt gleich die ganze Natur in den Paar Worten. Es ist ein trüber, dämmernder Abend, ein einförmiger rother Streifen am Horizont, halbfinster auf der Straße, da kommt ein Unbekannter zu ihnen, sie sprechen, er bricht das Brod, da erkennen sie ihn, in einfach-menschlicher Art, und die göttlich-leidenden Züge reden ihnen deutlich, und sie erschrecken, denn es ist finster geworden, und es tritt sie etwas Unbegreifliches an, aber es ist kein gespenstisches Grauen; es ist wie wenn einem ein geliebter Todter in der Dämmerung in der alten Art entgegenträte, so ist das Bild, mit dem einförmigen, bräunlichen Ton darüber, dem trüben stillen Abend. Dann ein anderes. Eine Frau sitzt in ihrer Kammer, das Gebetbuch in der Hand. Es ist sonntäglich aufgeputzt, der Sand gestreut*, so heimlich rein und warm. Die Frau hat nicht zur Kirche gekonnt, und sie verrichtet die Andacht zu Haus, das Fenster ist offen, sie sitzt darnach hingewandt, und es ist als schwebten zu dem Fenster über die weite ebne Landschaft die Glockentöne von dem Dorfe herein und verhallet der Sang der nahen Gemeinde aus der Kirche her, und die Frau liest den Text

berühmte im röm. Vatikan ausgestellte antike Statue des griech. Gottes Apoll

Ölgemälde von Carel van Savoy (um 1621–1665)

In den Wohnungen wurde Sand gestreut, damit der Schmutz nicht am Fußboden haften blieb.

nach. – In der Art sprach er weiter, man horchte auf, es traf
Vieles, er war roth geworden über den Reden, und bald
lächelnd, bald ernst, schüttelte er die blonden Locken. Er
hatte sich ganz vergessen. Nach dem Essen nahm ihn Kaufmann bei Seite. Er hatte Briefe von ⌐Lenzens Vater⌐ erhalten, ⌐sein Sohn sollte zurück⌐, ihn unterstützen. Kaufmann
sagte ihm, ⌐wie er sein Leben hier verschleudre, unnütz ver-
liere, er solle sich ein Ziel stecken⌐ und dergleichen mehr.
Lenz fuhr ihn an: Hier weg, weg! nach Haus? Toll* werden
dort? Du weißt, ich kann es nirgends aushalten, als da herum, in der Gegend, ⌐wenn ich nicht manchmal auf einen
Berg könnte und die Gegend sehen könnte⌐; und dann wieder herunter in's Haus, durch den Garten gehn, und zum
Fenster hineinsehen. Ich würde toll! toll! Laßt mich doch in
Ruhe! Nur ein bischen Ruhe, jetzt wo es mir ein wenig
wohl wird! Weg? Ich verstehe das nicht, mit den zwei Worten* ist die Welt verhunzt. Jeder hat was nöthig; wenn er
ruhen kann, was könnt' er mehr haben! ⌐Immer steigen,
ringen⌐ und so in Ewigkeit Alles was der Augenblick giebt,
wegwerfen und immer darben*, um einmal zu genießen;
dürsten, während einem helle* Quellen über den Weg
springen. Es ist mir jetzt erträglich, und da will ich bleiben;
warum? warum? Eben weil es mir wohl ist; was will mein
Vater? Kann er mir geben? Unmöglich! Laßt mich in Ruhe.
Er wurde heftig, Kaufmann ging, Lenz war verstimmt.
Am folgenden Tag wollte Kaufmann weg, er beredete
Oberlin mit ihm in die Schweiz zu gehen. Der Wunsch,
⌐Lavater, den er längst durch Briefe kannte⌐, auch persön-
lich kennen zu lernen, bestimmte ihn. Er sagte es zu. Man
mußte einen Tag länger wegen der Zurüstungen* warten.
Lenz fiel das auf's Herz, er hatte, um seiner unendlichen
Qual los zu werden, sich ängstlich an Alles geklammert; er
fühlte in einzelnen Augenblicken tief, wie er sich Alles nur
zurecht mache; er ging mit sich um ⌐wie mit einem kranken
Kinde⌐, manche Gedanken, mächtige Gefühle wurde er nur

hier: wahnsin-
nig

zeitgenössisch
für: mit den
paar Worten

Not leiden

rein oder
durchsichtig

Vorbereitun-
gen

mit der größten Angst los, da trieb es ihn wieder mit unendlicher Gewalt darauf, er zitterte, das Haar sträubte ihm
fast, bis er es in der ungeheuersten Anspannung erschöpfte.
Er rettete sich in eine Gestalt, die ihm immer vor Augen
schwebte, und in Oberlin; seine Worte, sein Gesicht thaten   5
ihm unendlich wohl. So sah er mit Angst seiner Abreise
entgegen. Es war Lenzen unheimlich, jetzt allein im Hause
zu bleiben. Das Wetter war milde geworden, er beschloß
Oberlin zu begleiten, in's Gebirg. Auf der andern Seite, wo
die Thäler sich in die Ebne* ausliefen, trennten sie sich. Er   10
ging allein zurück. ⌐Er durchstrich das Gebirg⌐ in verschiedenen Richtungen, breite Flächen zogen sich in die Thäler
herab, wenig Wald, nichts als gewaltige Linien und weiter
hinaus die weite rauchende* Ebne, in der Luft ein gewalti-
ges Wehen, nirgends eine Spur von Menschen, als hie und   15
da eine ⌐verlassene Hütte⌐, wo die Hirten den Sommer zu-
brachten, an den Abhängen gelehnt. Er wurde still, vielleicht fast träumend, es verschmolz ihm Alles in eine Linie,
wie eine steigende und sinkende Welle, zwischen Himmel
und Erde, es war ihm als läge er an einem unendlichen   20
Meer, das leise auf- und abwogte. Manchmal saß er, dann
ging er wieder, aber langsam träumend. Er suchte keinen
Weg. Es war finster Abend, als er an eine bewohnte Hütte
kam, im Abhang nach dem Steinthal. Die Thüre war verschlossen, er ging an's Fenster, durch das ein Lichtschim-   25
mer fiel. Eine Lampe erhellte fast nur einen Punkt, ihr Licht
fiel auf das bleiche Gesicht eines Mädchens, das mit halb
geöffneten Augen, leise die Lippen bewegend, dahinter
ruhte. ⌐Weiter weg im Dunkel saß ein altes Weib, das mit
schnarrender Stimme aus einem Gesangbuch sang. Nach   30
langem Klopfen öffnete sie; sie war halb taub, sie trug Lenz
einiges Essen auf und wies ihm eine Schlafstelle an, wobei
sie beständig ihr Lied fortsang.⌐ Das Mädchen hatte sich
nicht gerührt. Einige Zeit darauf kam ein Mann herein, er
war lang und hager, Spuren von grauen Haaren, mit un-   35

ruhigem verwirrtem Gesicht. Er trat zum Mädchen, sie
zuckte auf und wurde unruhig. Er nahm ein getrocknetes
Kraut von der Wand, und legte ihr die Blätter auf die Hand,
so daß sie ruhiger wurde und verständliche Worte in langsam ziehenden, durchschneidenden Tönen summte. Er erzählte, ⌜wie er eine Stimme im Gebirge gehört, und dann
über den Thälern ein Wetterleuchten gesehen habe, auch
habe es ihn angefaßt und er habe damit gerungen wie Ja-
kob⌝. Er warf sich nieder und betete leise mit Inbrunst*,   mit größter
während die Kranke in einem langsam ziehenden, leise ver-   Hingabe
hallenden Ton sang. Dann gab er sich zur Ruhe.
Lenz schlummerte träumend ein, und dann hörte er im
Schlaf, wie die Uhr pickte*. Durch das leise Singen des   zeitgenössisch
Mädchens und die Stimme der Alten zugleich tönte das   für: tickte
Sausen des Windes bald näher, bald ferner, und der bald
helle, bald verhüllte Mond, warf sein wechselndes Licht
traumartig in die Stube. Einmal wurden die Töne lauter,
das Mädchen redete deutlich und bestimmt, sie sagte, wie   Ähnliche Visio-
auf der Klippe gegenüber eine Kirche stehe*. Lenz sah auf   nen sind aus
                                                                    dem Steintal
und sie saß mit weitgeöffneten Augen aufrecht hinter dem   belegt.
Tisch, und der Mond warf sein stilles Licht auf ihre Züge,
von denen ein unheimlicher Glanz zu strahlen schien, zugleich schnarrte die Alte und über diesem Wechseln und
Sinken des Lichts, den Tönen und Stimmen schlief endlich
Lenz tief ein.
Er erwachte früh, in der dämmernden Stube schlief Alles,
auch das Mädchen war ruhig geworden, sie lag zurückge-
lehnt, die Hände gefaltet unter der linken Wange; das Gei-
sterhafte aus ihren Zügen war verschwunden, sie hatte
jetzt einen Ausdruck unbeschreiblichen Leidens. Er trat
an's Fenster und öffnete es, die kalte Morgenluft schlug
ihm entgegen. Das Haus lag am Ende eines schmalen, tiefen Thales, das sich nach Osten öffnete, rothe Strahlen
schossen durch den grauen Morgenhimmel in das däm-
mernde Thal, das im weißen Rauch* lag und funkelte⟨n⟩   im Nebel

am grauen Gestein und trafen in die Fenster der Hütten.
Der Mann erwachte, seine Augen trafen auf ein erleuchtet
Bild an der Wand, sie richteten sich fest und starr darauf,
nun fing er an die Lippen zu bewegen und betete leise, dann

während-
dessen

laut und immer lauter. Indem⋆ kamen Leute zur Hütte her- 5
ein, sie warfen sich schweigend nieder. Das Mädchen lag in
Zuckungen, die Alte schnarrte ihr Lied und plauderte mit
den Nachbarn. Die Leute erzählten Lenzen, der Mann sey
vor langer Zeit in die Gegend gekommen, man wisse nicht
woher; er stehe im Rufe eines Heiligen, er sehe das Wasser 10
unter der Erde und könne Geister beschwören, und man
wallfahre zu ihm. Lenz erfuhr zugleich, daß er weiter vom
Steinthal abgekommen, er ging weg mit einigen Holz-

Holzfäller

hauern⋆, die in die Gegend gingen. Es that ihm wohl, Gesellschaft zu finden; es war ihm jetzt unheimlich mit dem 15
gewaltigen Menschen, von dem es ihm manchmal war, als
rede er in entsetzlichen Tönen. Auch fürchtete er sich vor
sich selbst in der Einsamkeit.

Er kam heim. Doch hatte die verflossene Nacht einen gewaltigen Eindruck auf ihn gemacht. ⌜Die Welt war ihm 20
⌜helle⌝ gewesen, und an sich ein Regen und Wimmeln nach
einem Abgrund⌝, zu dem ihn eine unerbittliche Gewalt hin-
riß. Er wühlte jetzt in sich. Er aß wenig; halbe Nächte im
Gebet und fieberhaften Träumen. Ein gewaltsames Drängen, und dann erschöpft zurückgeschlagen; er lag in den 25
heißesten Thränen, und dann bekam er plötzlich eine Stär-
ke, und erhob sich kalt und gleichgültig, seine Thränen

sich in Eupho-
rie steigerte

waren ihm dann wie Eis, er mußte lachen. ⌜Je höher er sich
aufriß⋆, desto tiefer stürzte er hinunter.⌝ Alles strömte wieder zusammen. ⌜Ahnungen von seinem alten Zustande 30
durchzuckten ihn, und warfen Streiflichter in das wüste
Chaos seines Geistes.⌝ Des Tags saß er gewöhnlich unten

Magdalena Sa-
lomé Oberlin
(1747–1783)

im Zimmer, Madame Oberlin⋆ ging ab und zu, er zeichnete, malte, las, griff nach jeder Zerstreuung, Alles hastig
von einem zum andern. Doch schloß er sich jetzt besonders 35

an Madame Oberlin an, wenn sie so da saß, das schwarze
Gesangbuch vor sich, neben* eine Pflanze, im Zimmer gezogen, das jüngste Kind zwischen den Knieen; auch machte
er sich viel mit dem Kinde zu thun. So saß er einmal, da
5 wurde ihm ängstlich, er sprang auf, ging auf und ab. Die
Thüre halb offen, da hörte er die Magd singen, erst unverständlich, dann kamen die Worte
⌜Auf dieser Welt hab' ich kein' Freud',
Ich hab' mein Schatz und der ist weit.⌝
10 ⌜Das fiel auf ihn⌝, er verging fast unter den Tönen. Mad.
Oberlin sah ihn an. Er faßte sich ein Herz, er konnte nicht
mehr schweigen, er mußte davon sprechen. »Beste Madame Oberlin, können Sie mir nicht sagen, was das Frauenzimmer* macht, dessen Schicksal mir so centnerschwer auf
15 dem Herzen liegt?« »Aber Herr Lenz, ich weiß von nichts.«
Er schwieg dann wieder und ging hastig im Zimmer auf
und ab; dann fing er wieder an: Sehen Sie, ich will gehn;
Gott, sie sind noch die einzigen Menschen, wo ich's aushalten könnte, und doch – doch, ich muß weg, zu *ihr* – aber
20 ich kann nicht, ich darf nicht. – Er war heftig bewegt und
ging hinaus. Gegen Abend kam Lenz wieder, es dämmerte
in der Stube; er setzte sich neben Madame Oberlin. Sehn
Sie, fing er wieder an, wenn sie so durch's Zimmer ging,
und so halb für sich allein sang, und jeder Tritt war eine
25 Musik, es war so eine Glückseligkeit in ihr, und das strömte in mich über, ich war immer ruhig, wenn ich sie ansah,
oder sie so den Kopf an mich lehnte, und Gott! Gott – Ich
war schon lange nicht mehr ruhig. . . .* Ganz Kind; es war,
als war ihr die Welt zu weit, sie zog sich so in sich zurück,
30 sie suchte das engste Plätzchen im ganzen Haus, und da saß
sie, als wäre ihre ganze Seeligkeit nur in einem kleinen
Punkt, und dann war mir's auch so; wie ein Kind hätte ich
dann spielen können. Jetzt ist es mir so eng, so eng, sehn
Sie, es ist mir manchmal, ⌜als stieß' ich mit den Händen an
35 den Himmel⌝; o ich ersticke! Es ist mir dabei oft, als fühlt'

[marginal notes:]
neben sich

zeitgenössisch
für: Frau,
junge Frau

vmtl. Lücke in
Büchners
Manuskript

ich physischen Schmerz, da in der linken Seite, ⌜im Arm, womit ich sie sonst faßte. Doch kann ich sie mir nicht mehr vorstellen, das Bild läuft mir fort⌝, und dies martert mich, nur wenn es mir manchmal ganz hell wird, so ist mir wieder recht wohl. – Er sprach später noch oft mit Madame Oberlin davon, aber meist nur in abgebrochenen Sätzen; sie wußte wenig zu antworten, doch that es ihm wohl. Unterdessen ging es fort mit seinen ⌜religiösen Quälereien⌝. ⌜Je leerer, je kälter, je sterbender er sich innerlich fühlte, desto mehr drängte es in ihn, eine Gluth in sich zu wecken, es kamen ihm Erinnerungen an die Zeiten, wo Alles in ihm sich drängte, wo er unter all' seinen Empfindungen keuchte; und jetzt so todt.⌝ ⌜Er verzweifelte an sich selbst⌝, dann warf er sich nieder, er rang die Hände, er rührte Alles in sich auf; aber todt! todt! Dann flehete er, Gott möge ein Zeichen an ihm thun, dann wühlte er in sich, ⌜fastete, lag träumend am Boden. ⌜Am dritten Hornung* hörte er, ein Kind in Fouday* sey gestorben⌝, er faßte es auf, wie eine ⌜fixe Idee⌝. Er zog sich in sein Zimmer und fastete einen Tag⌝. Am vierten trat er plötzlich in's Zimmer zu Mad. Oberlin, er hatte sich ⌜das Gesicht mit Asche beschmiert, und forderte einen alten Sack; sie erschrak, man gab ihm, was er verlangte. Er wickelte den Sack um sich, wie ein Büßender⌝, und schlug den Weg nach Fouday ein. Die Leute im Thale waren ihn schon gewohnt; man erzählte sich allerlei Seltsames von ihm. Er kam in's Haus, wo das Kind lag. Die Leute gingen gleichgültig ihrem Geschäfte nach; man wies ihm eine Kammer, das Kind lag im Hemde auf Stroh*, auf einem Holztisch. Lenz schauderte, wie er die kalten Glieder berührte und die halbgeöffneten gläsernen Augen sah. Das Kind kam ihm so verlassen vor, und er sich so allein und einsam; er warf sich über die Leiche nieder; der Tod erschreckte ihn, ein heftiger Schmerz faßte ihn an, diese Züge, dieses stille Gesicht sollte verwesen, er warf sich nieder, ⌜er betete mit allem Jammer der Verzweiflung, daß Gott ein Zeichen an ihm thue, und das Kind beleben möge, wie er schwach und unglücklich sey⌐; dann sank er ganz in sich und wühlte all seinen Willen auf einen Punkt, so saß er lange starr. Dann erhob er sich und ⌐faßte die Hände des Kindes und sprach laut und fest: Stehe auf und wandle!⌐ Aber die Wände hallten ihm nüchtern den Ton nach, daß es zu spotten schien, und die Leiche blieb kalt. Da stürzte er halb wahnsinnig nieder, dann jagte es ihn auf, hinaus in's Gebirg. Wolken zogen rasch über den Mond; bald Alles im Finstern, bald zeigten sie die nebelhaft verschwindende Landschaft im Mondschein. ⌐Er rannte auf und ab. In seiner Brust war ein Triumph-Gesang der Hölle. Der Wind klang wie ein ⌐Titanenlied, es war ihm, als könne er eine ungeheure Faust⌐ hinauf in den Himmel ballen und Gott herbei reißen und zwischen seinen Wolken schleifen; als könnte er die Welt mit den Zähnen zermalmen und sie dem Schöpfer in's Gesicht speien; er schwur*, ⌐er lästerte⌐.

hier: fluchte

So kam er auf die Höhe des Gebirges, und das ungewisse Licht dehnte sich hinunter, wo die weißen Steinmassen, und der Himmel war ein dummes blaues Aug, und der Mond stand ganz lächerlich drin, einfältig. Lenz mußte laut lachen, und mit dem Lachen griff der Atheismus* in ihn und faßte ihn ganz sicher und ruhig und fest. Er wußte nicht mehr, was ihn vorhin so bewegt hatte, es fror ihn, er dachte, er wolle jetzt zu Bette gehn, und er ging kalt und unerschütterlich durch das unheimliche Dunkel – es war ihm Alles leer und hohl, er mußte laufen und ging zu Bette.⌐

Weltanschau-
ung, die die
Existenz eines
Gottes ver-
neint.

Am folgenden Tag befiel ihn ein großes Grauen vor seinem gestrigen Zustande, ⌐er stand nun am Abgrund, wo eine wahnsinnige Lust ihn trieb, immer wieder hineinzuschauen, und sich diese Qual zu wiederholen⌐. Dann steigerte sich seine Angst, die ⌐Sünde ⟨in⟩ de⟨n⟩ heilige⟨n⟩ Geist⌐ stand vor ihm.

zeitgenössisch
für: im Elsass

elsäss. Dichter
Gottlieb Kon-
rad Pfeffel
(1736–1809)

Lenz hatte
1768 ein
Theologiestu-
dium begon-
nen.

von Gott und
seinem Wort
abgewichen

Ende der »Aus-
arbeitung«
(s. S. 58)

Übernahme
aus der 1. Ent-
wurfsstufe
(s. S. 57)

vgl. Erl. zu
27.16

zufrieden

zu Gott und
seinen Gebo-
ten zurückge-
funden

Einige Tage darauf kam Oberlin ⌜aus der Schweiz zurück⌝,
viel früher als man es erwartet hatte. Lenz war darüber
betroffen. Doch wurde er heiter, als Oberlin ihm von ⌜sei-
nen Freunden in Elsaß*⌝ erzählte. Oberlin ging dabei im
Zimmer hin und her, und packte aus, legte hin. Dabei erzählte er von ⌜Pfeffel*⌝, ⌜das Leben eines Landgeistlichen
glücklich preisend⌝. Dabei ermahnte er ihn, sich in den
Wunsch seines Vaters zu fügen, seinem Berufe gemäß* zu
leben, heimzukehren. Er sagte ihm: ⌜Ehre Vater und Mut-
ter⌝ u. dgl. m. Über dem Gespräch gerieth Lenz in heftige
⌜Unruhe; er stieß tiefe Seufzer aus, Thränen drangen ihm
aus den Augen, er sprach abgebrochen. Ja, ich halt' es aber
nicht aus; wollen Sie mich ⌜verstoßen⌝? Nur in Ihnen ist der
Weg zu Gott. ⌜Doch mit mir ist's aus!⌝ Ich bin abgefallen*,
⌜verdammt in Ewigkeit⌝, ⌜ich bin der ewige Jude⌝. Oberlin
sagte ihm, ⌜dafür sey Jesus gestorben⌝, er möge sich brün-
stig an ihn wenden, und er würde Theil haben an seiner
Gnade.

Lenz erhob das Haupt, rang die Hände⌝, und sagte: Ach!
ach! göttlicher Trost. Dann frug er plötzlich freundlich,
was das Frauenzimmer mache. Oberlin sagte, er wisse von
nichts, er wolle ihm aber in Allem helfen und rathen, er
müsse ihm aber Ort, Umstände und Person angeben. Er
antwortete nichts, wie gebrochne Worte: ach sie ist todt!
Lebt sie noch? du Engel, sie liebte mich – ich liebte sie, sie
war's würdig, o du Engel. Verfluchte Eifersucht, ich habe
sie aufgeopfert – sie liebte noch einen andern* – ich liebte
sie, sie war's würdig – ⌜o gute Mutter, auch die liebte mich.
Ich bin ein Mörder⌝. Oberlin versetzte: vielleicht lebten alle
diese Personen noch, vielleicht vergnügt*; es möge seyn,
wie es wolle, so könne und werde Gott, wenn er sich zu ihm
bekehrt* haben würde, diesen Personen auf sein Gebet und
Thränen soviel Gutes erweisen, daß der Nutzen, den sie
alsdann von ihm hätten, den Schaden, den er ihnen zugefügt, vielleicht weit überwiegen würde. Er wurde darauf
nach und nach ruhiger und ging wieder an sein Malen.

Den Nachmittag kam er wieder, auf der linken Schulter
hatte er ein Stück Pelz und in der Hand ⌐ein Bündel Gerten,
die man Oberlin nebst einem Briefe für Lenz mitgegeben
hatte⌐. Er reichte Oberlin die Gerten mit dem Begehren, er
sollte ihn damit schlagen. Oberlin nahm die Gerten aus
seiner Hand, drückte ihm einige Küsse auf den Mund und
sagte: dies wären die Streiche*, die er ihm zu geben hätte, er   Schläge
möchte ruhig seyn, ⌐seine Sache mit Gott allein ausma-
chen⌐, alle möglichen Schläge würden keine einzige seiner
⌐Sünden tilgen⌐; dafür hätte Jesus gesorgt, ⌐zu dem möchte
er sich wenden⌐. Er ging.
Beim Nachtessen war er wie gewöhnlich etwas ⌐tiefsinnig⌐.
Doch sprach er von allerlei, aber mit ängstlicher Hast. Um
Mitternacht wurde Oberlin durch ein Geräusch geweckt.
Lenz rannte durch den Hof, rief mit hohler, harter Stimme
den Namen ⌐Friederike⌐ mit äußerster Schnelle, Verwirrung und Verzweiflung ausgesprochen, er stürzte sich dann
in den Brunnentrog, patschte darin, wieder heraus und herauf in sein Zimmer, wieder herunter in den Trog, und so
einigemal, endlich wurde er still. Die Mägde, die in der
Kinderstube unter ihm schliefen, sagten, sie hätten oft, insonderheit aber in selbiger Nacht, ein Brummen gehört,
das sie mit nichts als mit dem Tone einer Haberpfeife* zu   vmtl. wie »Ha-
vergleichen wußten. Vielleicht war es sein Winseln, mit   berrohr«, in
                                                                der Bedeutung
hohler, fürchterlicher, verzweifelnder Stimme.   von »Hirten-
Am folgenden Morgen kam Lenz lange nicht. Endlich ging   pfeife, Schal-
Oberlin hinauf in sein Zimmer, ⌐er lag im Bett ruhig und   mei«
unbeweglich⌐. Oberlin mußte lange fragen, ehe er Antwort
bekam; endlich sagte er: Ja Herr Pfarrer, sehen Sie, die
Langeweile! die Langeweile! o! so langweilig, ich weiß gar
nicht mehr, was ich sagen soll, ich habe schon ⌐alle Figuren
an die Wand gezeichnet⌐. Oberlin sagte ihm, er möge sich
zu Gott wenden; da lachte er und sagte: ja wenn ich so
glücklich wäre, wie Sie, einen so behaglichen Zeitvertreib
aufzufinden, ja man könnte sich die Zeit schon so ausfül-

len. ⌐Alles aus Müssiggang. Denn die Meisten beten aus Langeweile; die Andern verlieben sich aus Langeweile, die Dritten sind tugendhaft, die Vierten lasterhaft⌐ und ich gar nichts, gar nichts, ⌐ich mag mich nicht einmal umbringen: es ist zu langweilig⌐:

5

O Gott in Deines Lichtes Welle*,
In Deines glüh'nden Mittags Zelle
Sind meine Augen wund gewacht,
Wird es denn niemals wieder Nacht?

Die Quelle dieses Liedes ist unbekannt; auch ist unsicher, ob es in den Textzusammenhang gehört oder nur als Parallelentwurf notiert wurde.

Oberlin blickte ihn unwillig an und wollte gehen. ⌐Lenz huschte ihm nach und indem er ihn mit unheimlichen Augen ansah: sehn Sie, jetzt kommt mir doch was ein, wenn ich nur unterscheiden könnte, ob ich träume oder wache: sehn Sie, das ist sehr richtig, wir wollen es untersuchen⌐; er huschte dann wieder ins Bett. Den Nachmittag wollte Oberlin in der Nähe einen Besuch machen; seine Frau war schon fort; er war im Begriff, wegzugehen, als es an seine Thür klopfte und Lenz hereintrat mit vorwärtsgebogenem Leib, niederwärts hängendem Haupt, das Gesicht über und über und das Kleid hie und da mit Asche bestreut, mit der rechten Hand den linken Arm haltend. Er bat Oberlin, ihm den Arm zu ziehen, er hätte ihn verrenkt, er hätte sich ⌐zum Fenster heruntergestürzt⌐, weil es aber Niemand gesehen, wollte er es auch Niemand sagen. Oberlin erschrak heftig, doch sagte er nichts, er that was Lenz begehrte, zugleich schrieb er an den ⌐Schulmeister in Bellefosse⌐, er möge herunterkommen und gab ihm Instruktionen*. Dann ritt er weg. Der Mann kam. Lenz hatte ihn ⌐schon oft gesehen⌐ und hatte sich an ihn attachirt*. Er that als hätte er mit Oberlin etwas reden wollen, wollte dann wieder weg. Lenz bat ihn, zu bleiben und so blieben sie beisammen. Lenz schlug noch einen Spaziergang nach Fouday vor. Er besuchte das Grab des Kindes, das er hatte erwecken wollen, kniete zu verschiedenen Malen nieder, küßte die Erde des Grabes, schien betend, doch mit großer Verwirrung, riß

Anweisungen

war ihm ergeben, zugetan

Etwas von der auf dem Grab stehenden Blume ab, als ein Andenken, ging wieder zurück nach Waldbach, kehrte wieder um und Sebastian mit. ⌐Bald ging er langsam und klagte über große Schwäche in den Gliedern, dann ging er mit verzweifelnder Schnelligkeit⌐, die Landschaft beängstigte ihn, sie war so eng, daß er an Alles zu stoßen fürchtete. Ein unbeschreibliches Gefühl des Mißbehagens befiel ihn, sein Begleiter ward ihm endlich lästig, auch mochte er seine Absicht errathen und suchte Mittel ihn zu entfernen. Sebastian schien ihm nachzugeben, fand aber heimlich Mittel, ⌐seine Brüder⌐ von der Gefahr zu benachrichtigen, und nun hatte Lenz zwei Aufseher statt einen. Er zog sie weiter herum, endlich ging er nach Waldbach zurück und da sie nahe an dem Dorfe waren, kehrte er wie ein Blitz wieder um und sprang wie ein Hirsch gen Fouday zurück. Die Männer setzten ihm nach. Indem sie ihn in Fouday suchten, kamen zwei Krämer und erzählten ihnen, man hätte in einem Hause einen Fremden gebunden, der ⌐sich für einen Mörder ausgäbe⌐, aber gewiß kein Mörder seyn könne. Sie liefen in dies Haus und fanden es so. Ein junger Mensch hatte ihn auf sein ungestümes Dringen in der Angst gebunden. Sie banden ihn los und brachten ihn glücklich nach Waldbach, wohin Oberlin indessen mit seiner Frau zurückgekommen war. Er sah verwirrt aus, da er aber merkte, daß er liebreich und freundlich empfangen wurde, bekam er wieder Muth, sein Gesicht veränderte sich vortheilhaft, er dankte seinen beiden Begleitern freundlich und zärtlich und der Abend ging ruhig herum. Oberlin bat ihn inständig, nicht mehr zu baden, die Nacht ruhig im Bette zu bleiben und wenn er nicht schlafen könne, sich mit Gott zu unterhalten. Er versprachs und that es so die folgende Nacht, die Mägde hörten ihn fast die ganze Nacht hindurch beten. – Den folgenden Morgen kam er mit vergnügter Miene auf Oberlins Zimmer. Nachdem sie Verschiedenes gesprochen hatten, sagte er mit ausnehmender

vgl. Erl. zu
27.16

hier: geheim-
nisvolle Zei-
chen

Offenbar eine
Arbeitsnotiz in
Büchners Ent-
wurfshand-
schrift.

Beginn der
2. Entwurfs-
stufe (s. S. 58)

Freundlichkeit: Liebster Herr Pfarrer, das Frauenzimmer*,
wovon ich Ihnen sagte, ist gestorben, ja gestorben, der Engel. Woher wissen Sie das? – Hieroglyphen, Hieroglyphen* –
und dann zum Himmel geschaut und wieder: ja gestorben –
Hieroglyphen. Es war dann nichts weiter aus ihm zu brin- 5
gen. Er setzte sich und schrieb ⌜einige Briefe⌝, gab sie sodann Oberlin mit der Bitte, einige Zeilen dazu zu setzen.
Siehe die Briefe.*

Sein Zustand war indessen immer trostloser geworden, alles was er an Ruhe aus der Nähe Oberlins und aus der 1
⌜Stille des Thals⌝ geschöpft hatte, war weg; die Welt, die er
hatte nutzen wollen, hatte einen ungeheuern Riß, er hatte
⌜keinen Haß, keine Liebe, keine Hoffnung, eine schreckliche Leere und doch eine folternde Unruhe, sie auszufüllen.
Er hatte *Nichts*⌝. Was er that, that er mit Bewußtsein ⌜und 1
doch zwang ihn ein innerlicher Instinkt⌝. Wenn er allein
war, war es ihm so entsetzlich einsam, ⌜daß er beständig
laut mit sich redete, rief, und dann erschrak er wieder und
es war ihm, als hätte eine fremde Stimme mit ihm gespro-
chen⌝. Im Gespräch stockte er oft, eine unbeschreibliche 2
Angst befiel ihn, er hatte das Ende seines Satzes verloren;
dann meinte er, er müße das zuletzt gesprochene Wort behalten und immer sprechen, nur mit großer Anstrengung
unterdrückte er diese Gelüste. Es bekümmerte die guten
Leute tief, wenn er manchmal in ruhigen Augenblicken bei 2
ihnen saß und unbefangen sprach und er dann stockte und
eine unaussprechliche Angst sich in seinen Zügen malte, er

unmittelbar
bei ihm

die Personen, die ihm zunächst* saßen krampfhaft am Arm
faßte und erst nach und nach wieder zu sich kam. War er
allein, oder las er, war's noch ärger, ⌜all' seine geistige Thä- 3
tigkeit blieb manchmal in einem Gedanken hängen⌝; ⌜dach-
te er an eine fremde Person, oder stellte er sie sich lebhaft
vor, so war es ihm, als würde er sie selbst⌝, er verwirrte sich
ganz und dabei hatte er einen unendlichen Trieb, ⌜mit Allem um ihn im Geist willkürlich umzugehen; die Natur, 3

Menschen, nur Oberlin ausgenommen, Alles traumartig, kalt; er amüsirte sich, die Häuser auf die Dächer zu stellen, die Menschen an und auszukleiden, die wahnwitzigsten Possen* auszusinnen⌐. Manchmal fühlte er einen unwiderstehlichen Drang, das Ding auszuführen, und dann schnitt er entsetzliche Fratzen. Einst saß er neben Oberlin, die Katze lag gegenüber auf einem Stuhl, plötzlich wurden seine ⌐Augen starr, er hielt sie unverrückt auf das Thier gerichtet⌐, dann glitt er langsam den Stuhl herunter, die Katze ebenfalls, sie war wie bezaubert von seinem Blick, sie gerieth in ungeheure Angst, sie sträubte sich scheu, Lenz mit den nämlichen Tönen, mit fürchterlich entstelltem Gesicht, wie in Verzweiflung stürzten Beide auf einander los, da endlich erhob sich Madame Oberlin, um sie zu trennen. Dann war er wieder tief beschämt. Die Zufälle* des Nachts steigerten sich auf's Schrecklichste. Nur mit der größten Mühe schlief er ein, während er zuvor die noch schreckliche Leere zu füllen versucht hatte. Dann gerieth er zwischen Schlaf und Wachen in einen entsetzlichen Zustand; er stieß an etwas Grauenhaftes, Entsetzliches, der Wahnsinn packte ihn, er fuhr mit fürchterlichem Schreien, in Schweiß gebadet, auf, und erst nach und nach fand er sich wieder. Er mußte dann ⌐mit den einfachsten Dingen anfangen, um wieder zu sich zu kommen. Eigentlich nicht er selbst that es, sondern ein mächtiger Erhaltungstrieb, es war ⌐als sey er doppelt⌐ und der eine Theil suchte den andern zu retten, und rief sich selbst zu; er erzählte, er sagte in der heftigsten Angst Gedichte her, bis er wieder zu sich kam. Auch bei Tage bekam er diese Zufälle, sie waren dann noch schrecklicher; denn sonst hatte ihn die Helle davor bewahrt. Es war ihm dann, ⌐als existire er allein, als bestünde die Welt nur in seiner Einbildung, als sey nichts, als er, er sey das ewig Verdammte⌐, der Satan*; allein mit seinen folternden Vorstellungen. Er ⌐jagte mit rasender Schnelligkeit sein Leben durch⌐ und dann sagte er: conse-

Streiche

Anfälle, Gesundheitskrisen

der Oberste der Teufel

quent, consequent; wenn Jemand was sprach: inconsequent, inconsequent; es war die Kluft unrettbaren Wahnsinns, eines Wahnsinns durch die Ewigkeit. Der Trieb der geistigen Erhaltung jagte ihn auf; er stürzte sich in Oberlins Arme, er klammerte sich an ihn, als wolle er sich in ihm drängen, er war das einzige Wesen, das für ihn lebte und durch den ihm wieder das Leben offenbar wurde. Allmählig brachten ihn Oberlins Worte denn* zu sich, er lag auf den Knieen vor Oberlin, seine Hände in den Händen Oberlins, sein mit kaltem Schweiß bedecktes Gesicht auf dessen Schooß, am ganzen Leibe bebend und zitternd. Oberlin empfand unendliches Mitleid, die Familie lag auf den Knieen und betete für den Unglücklichen, die Mägde flohen und hielten ihn für einen Besessenen. Und wenn er ruhiger wurde, war es wie der Jammer eines Kindes, er schluchzte, er empfand ein tiefes, tiefes Mitleid mit sich selbst; das waren auch seine seligsten Augenblicke. Oberlin sprach ihm von Gott. Lenz wand sich ruhig los und sah ihn mit einem Ausdruck unendlichen Leidens an, und sagte endlich: aber ich, ⌜wär' ich allmächtig, sehen Sie, wenn ich so wäre, und ich könnte das Leiden nicht ertragen⌝, ich würde retten, retten, ich will ja nichts als Ruhe, Ruhe, nur ein wenig Ruhe und schlafen können. Oberlin sagte, dies sey eine Profanation*. Lenz schüttelte trostlos mit dem Kopfe. ⌜Die halben Versuche zum Entleiben*, die er indeß fortwährend machte, waren nicht ganz Ernst, es war weniger der Wunsch des Todes, ⌜für ihn war ja keine Ruhe und Hoffnung im Tod⌝; es war mehr in Augenblicken der fürchterlichsten Angst oder der dumpfen an's Nichtseyn gränzenden Ruhe ein Versuch, sich zu sich selbst zu bringen durch physischen Schmerz. ⌜Augenblicke, wenn sein Geist sonst auf irgend einer wahnwitzigen Idee zu reiten schien, waren noch die glücklichsten⌝. Es war doch ein wenig Ruhe und sein wirrer Blick war nicht so entsetzlich, als die nach Rettung dürstende Angst, die ewige Qual der Unruhe! Oft

5

10

15

20

25

30

35

hier: dann

Entwürdigung oder Missbrauch heiliger Gegenstände

Selbstmord

schlug er sich den Kopf an die Wand, oder versetzte sich sonst einen heftigen physischen Schmerz.

Den 8. Morgens blieb er im Bette, Oberlin ging hinauf; er lag fast nackt auf dem Bette und ⌈war heftig⌉. Oberlin wollte ihn zudecken, er klagte aber sehr, ⌈wie schwer Alles sey⌉, so schwer, er glaube gar nicht, daß er gehen könne, jetzt endlich empfände er die ungeheure Schwere der Luft. Oberlin sprach ihm Muth zu. Er blieb aber in seiner frühern Lage und blieb den größten Theil des Tages so, auch nahm er keine Nahrung zu sich. Gegen Abend wurde Oberlin zu einem Kranken nach Bellefosse gerufen. Es war gelindes Wetter und Mondschein. Auf dem Rückweg begegnete ihm Lenz. Er schien ganz vernünftig und sprach ruhig und freundlich mit Oberlin. Der bat ihn, nicht zu ⟨weit⟩ zu gehen, er versprachs; im Weggehen wandte er sich plötzlich um und trat wieder ganz nah zu Oberlin und sagte rasch: sehn Sie, Herr Pfarrer, wenn ich das nur nicht mehr hören müßte mir wäre geholfen. »Was denn, mein Lieber?« Hören Sie denn nichts, ⌈hören Sie denn nicht die entsetzliche Stimme⌉, die um den ganzen Horizont schreit, und die man gewöhnlich die Stille heißt, seit ich in dem stillen Thal bin, hör’ ich’s immer, es läßt mich nicht schlafen, ja Herr Pfarrer, wenn ich wieder einmal schlafen könnte. Er ging dann kopfschüttelnd weiter. Oberlin ging zurück nach Waldbach und wollte ihm Jemand nachschikken, als er ihn die Stiege herauf in sein Zimmer gehen hörte. Einen Augenblick darauf platzte etwas im Hof mit so starkem Schall, daß es Oberlin unmöglich von dem Falle eines Menschen herkommen zu können schien. Die Kindsmagd kam todtblaß und ganz zitternd.

Er saß mit kalter Resignation* im Wagen, wie sie ⌈das Thal hervor nach Westen⌉ fuhren. Es war ihm einerlei, wohin man ihn führte; mehrmals wo* der Wagen bei dem schlechten Wege in Gefahr gerieth, blieb er ganz ruhig sitzen; er

Ende der 2. Entwurfs-stufe

Übernahme aus dem 1. Entwurf

Ende des 1. Entwurfs und Rückkehr zur »Ausarbeitung« (s. S. 58)

Verzicht, Entsagung

als

war vollkommen gleichgültig. In diesem Zustand legte er den Weg ⌈durch's Gebirg⌉ zurück. Gegen Abend waren sie im Rheinthale. Sie entfernten sich allmählig vom Gebirg, das nun wie eine tiefblaue Krystallwelle sich in das Abendroth hob, und auf deren warmer Fluth die rothen Strahlen des Abend spielten; über die Ebene hin am Flusse des Gebirges lag ein schimmerndes bläuliches Gespinnst. Es wurde finster, jemehr sie sich Straßburg näherten; hoher Vollmond, alle fernen Gegenstände dunkel, nur der Berg neben bildete eine scharfe Linie, die Erde war wie ein goldner Pokal, über den schäumend die Goldwellen des Monds liefen. Lenz starrte ruhig hinaus, ⌈keine Ahnung, kein Drang⌉; nur wuchs eine dumpfe Angst in ihm, je mehr die Gegenstände sich in der Finsterniß verloren. Sie mußten einkehren; da machte er wieder mehre* Versuche, Hand an sich zu legen, war aber zu scharf bewacht. Am folgenden Morgen bei trübem regnerischem Wetter traf er in Straßburg ein. Er schien ganz vernünftig, sprach mit den Leuten; er that Alles wie es die Andern thaten, es war aber eine entsetzliche Leere in ihm, er fühlte keine Angst mehr, kein Verlangen; ⌈sein Dasein war ihm eine nothwendige Last⌉. – – ⌈So lebte er hin.⌉

mehrere

Kommentar

Zeittafel

1778	Jakob Michael Reinhold Lenz (geb. 23.1.1751) hält sich zwischen dem 20. Januar und 8. Februar bei Pfarrer Johann Friedrich Oberlin in Waldersbach auf. Oberlin verfasst darüber einen Bericht (vgl. Dok. 1).
1792	Lenz stirbt am 23./24. Mai in Moskau (vgl. Dok. 2).
1813	Am 17. Oktober wird Carl Georg Büchner als erstes von fünf weiteren Kindern in Goddelau bei Darmstadt geboren. Sein Vater, Karl Ernst Büchner (1786–1861), der zunächst Chirurg in holländischen und Napoleonischen Diensten war, wird 1812 Distriktsarzt in Goddelau und steigt ab 1816 vom Assessor zum Leiter (1854) des Darmstädter Großherzoglichen Medicinal-Collegiums auf. Büchners Mutter, Caroline Louise Reuß (1791–1858), stammt aus einer Familie landgräflich-hessischer Beamter.
1814	Goethes Autobiografie *Dichtung und Wahrheit* mit den Erinnerungen Goethes an Lenz (vgl. Dok. 3).
1825	Georg Büchner besucht ab dem 26. März das Darmstädter Pädagog, ein überregional bedeutendes humanistisches Gymnasium.
1826	Johann Friedrich Oberlin (geb. 31.8.1740) stirbt am 1. Juni in Waldersbach im Steintal.
1828	Büchner wird Mitglied eines literarisch interessierten und politisch oppositionellen Kreises von Mitschülern, in dem v. a. Shakespeare gelesen und verehrt und zugleich die Tradition der Französischen Revolution gepflegt wird.
1831	Am 9. November immatrikuliert sich Büchner in Straßburg als Student der Medizin. Er nimmt Wohnung bei dem Pfarrer Johann Jakob Jaeglé

(1771–1837), mit dessen Tochter Louise Wilhelmine (Minna; 1810–1880) er sich heimlich verlobt. Zu seinem engeren Bekanntenkreis gehören neben dem Religionshistoriker Alexis Muston auch die durch theologische und heimatkundliche Publikationen bekannt gewordenen Brüder Adolf Stöber (1811–1892) und August Stöber (1808–1884). In Straßburg lernt Büchner nicht nur die zeitgenössische französische Literatur, sondern auch die politischen Theorien und Organisationsformen der französischen Sozialrevolutionäre kennen.

Im selben Jahr veröffentlicht August Stöber Briefe von Jakob Lenz sowie Ausschnitte aus Oberlins Bericht über Lenz (vgl. Dok. 4).

1833   Ab 31. Oktober setzt Büchner sein Medizinstudium in Gießen fort.

1834   Anfang des Jahres lernt Büchner den Butzbacher Rektor Friedrich Ludwig Weidig (1791–1837) kennen, der über ausgedehnte Kontakte zu oppositionellen Kreisen verfügte und gerade begann, die illegale Flugschrift *Leuchter und Beleuchter für Hessen* herauszugeben.

März   Büchner gründet mit anderen Studenten und Handwerkern nach dem Vorbild französischer Republikaner- und Arbeitervereine die Gießener Sektion der Gesellschaft der Menschenrechte und verfasst die revolutionäre Flugschrift *Der Hessische Landbote*, die, nachdem sie von Weidig stark überarbeitet worden war, im Juli gedruckt wird.

August   Büchners Schulfreund Karl Minnigerode (1814–1894) wird am 1. August aufgrund einer Denunziation mit 139 Exemplaren des *Hessischen Landboten* in Gießen verhaftet. Obwohl in der Folge polizeiliche Untersuchungen einsetzen, wird die Flugschrift in Oberhessen verteilt; im November lassen Weidig und Leopold Eichel-

	berg in Marburg eine zweite, veränderte Auflage drucken.
September	Büchner kehrt nach Darmstadt zurück, wo er die im Frühjahr gegründete Darmstädter Sektion der Gesellschaft der Menschenrechte reorganisiert. Daneben bereitet er durch historiographische Lektüre und erste Entwürfe das Drama *Danton's Tod* vor.
1835	Büchner schickt am 21. Februar das Manuskript von *Danton's Tod* an Karl Gutzkow (1811–1878), mit der Bitte, es dem Verlag Sauerländer zum Druck zu empfehlen.
März	Um sich der drohenden Verhaftung zu entziehen, flieht Büchner Anfang März nach Straßburg.
April/Mai	Spätestens im Mai erhält Büchner von August Stöber Materialien über Lenz, darunter Briefe des Sturm-und-Drang-Dichters und den Bericht des Pfarrers Johann Friedrich Oberlin *Herr L......*, aus denen er vermutlich exzerpiert.
Juli	Büchner übersetzt Victor Hugos Dramen *Lucrèce Borgia* und *Marie Tudor*. Nach einem gekürzten Vorabdruck in der Zeitschrift *Phönix* erscheint im Juli eine durch Präventivzensur entstellte Fassung von *Danton's Tod*.
Herbst	Der Fortgang der Beschäftigung mit *Lenz* ist für den Herbst belegt. Büchner schreibt im Oktober an seine Eltern: »Ich habe mir hier allerhand interessante Notizen über einen Freund Goethes, einen unglücklichen Poeten Namens *Lenz* verschafft [. . .]. Ich denke darüber einen Aufsatz in der deutschen Revue erscheinen zu lassen«, und beginnt vermutlich mit der Ausarbeitung der im Frühjahr angefertigten »Notizen« zur Erzählung in der Form, wie sie heute überliefert ist.
November	Die geplante Veröffentlichung der *Lenz*-Erzählung in der jungdeutschen *Deutschen Revue* kommt wegen des Verbots dieser Zeitschrift im November nicht mehr zu Stande.

Dezember	Spätestens im Dezember beginnt Büchner mit Vorarbeiten für seine Dissertation, in der er das Nervensystem der Flussbarbe untersucht.
1836	Im Frühjahr/Sommer arbeitet Büchner außer an der Druckfassung seiner Dissertation noch an mindestens drei weiteren Projekten: an dem Lustspiel *Leonce und Lena*, an dem Trauerspiel *Woyzeck*, an einer Vorlesung über »die philosophischen Systeme der Deutschen seit Cartesius und Spinoza«. Am 3. September wird Büchner von der philosophischen Fakultät der Universität Zürich zum Dr. phil. promoviert, am 18. Oktober siedelt er nach Zürich über, wo er eine Aufenthaltsgenehmigung für zunächst sechs Monate erhält und auf andere hessische Flüchtlinge, u. a. Caroline und Wilhelm Schulz (1797–1860), trifft. Am 5. November wird Büchner aufgrund einer Probevorlesung *Über Schädelnerven* zum Privatdozenten der Universität Zürich berufen, ab 15. November liest er vor drei Zuhörern über vergleichende Anatomie, ein Fachgebiet, das an der Zürcher Universität zuvor nicht vertreten war.
1837	Gegen Ende Januar erkrankt Büchner an Typhus. Er stirbt am 19. Februar.
1839	Karl Gutzkow veröffentlicht Büchners *Lenz*-Fragment unter dem Titel »*Lenz*. Eine Reliquie von Georg Büchner« im »Telegraph für Deutschland« (vgl. Dok. 5).

Vorwort:
Der Fall Jakob Lenz, Büchners *Lenz* und die Gattung der literarischen Pathographie

1. *Lenz* als Schlüsseltext in der Tradition literarischer Pathographien

Die Darstellung des psychisch auffälligen Individuums, das der Gesellschaft als Außenseiter gegenübersteht, ist seit über zweihundert Jahren ein wiederkehrendes Thema in der deutschen und der europäischen Literatur. Besondere Bedeutung gewinnt dieses Thema offenbar in Krisenzeiten, sei es als Begleiterscheinung des gesellschaftlichen Umbruchs, sei es als Versuch, unser Verständnis vom Menschen zu erweitern oder neu zu definieren. In der deutschen Literatur eröffnen *Die Leiden des jungen Werthers* (1774) von Johann Wolfgang Goethe, der erste europäische Erfolgsroman in deutscher Sprache, und Karl Philipp Moritz' autobiographische Darstellung *Anton Reiser* (1785–1790) diese Reihe; ihnen folgen zu Beginn des 19. Jahrhunderts die pathographischen Erzählungen der Romantiker, also Darstellungen seelischer Anomalien und Krankheiten. Eine literarische Neubelebung findet das Thema zunächst in der Literatur des ausgehenden 19. Jahrhunderts, zum Beispiel in Werken Gerhart Hauptmanns (1862–1946) oder Arthur Schnitzlers (1862–1931); es wird in der expressionistischen Literatur vor und während des Ersten Weltkriegs zu einem beherrschenden Thema und zugleich zu einem dominierenden Stilmittel und erlebt im Zusammenhang des kulturellen Umbruchs der 1960er und 1970er Jahre bei Autoren wie Martin Walser, Heinar Kipphardt, Rainald Goetz oder Thomas Bernhard eine neue Konjunktur.

Georg Büchners kleine *Lenz*-Erzählung steht im historischen Zentrum dieser langen und bedeutenden Entwicklung. Büchner greift bewusst zurück auf sehr unterschiedliche Traditionen. Die wesentliche Quelle seiner Erzählung ist ein Bericht des damals weithin bekannten Pfarrers Johann Friedrich Oberlin (1740–1826) über die Erkrankung des Dichters Jakob Michael Reinhold Lenz (1751–1792) im Januar/Februar 1778 (Dok. 1).

Oberlins Bericht ist geprägt von der Technik aufklärerischer Menschenbeobachtung und christlicher Seelsorge. Zusätzliche Quellen waren weitere Berichte und Vermutungen über Ursachen und Verlauf der Krankheit dieses bedeutenden Dichters (Dok. 2–4). Außer mit der Tradition der vorwissenschaftlichen, biographischen Pathographie, die der »Fall Lenz« mit sich führte, war Büchner vertraut mit der außerordentlich aktiven, weil im Umbruch begriffenen wissenschaftlichen Psychiatrie des frühen 19. Jahrhunderts und vor allem den wesentlichen Debatten zwischen den Anhängern der psychischen und der somatischen, der idealistischen und der materialistischen Richtung. Schließlich kannte und nutzte er die belletristischen Pathographien der Goethezeit, also unter anderem Goethes *Werther*, Lenz' Gedichte und Dramen, die Erzählungen Ludwig Tiecks (1773–1853) und wahrscheinlich E. T. A. Hoffmanns (1776–1822). Im positiv lernenden wie im negativ kritischen Sinne verarbeitete Büchner demnach die Ergebnisse vorwissenschaftlicher Beobachtung, wissenschaftlicher Diagnostik und die verfügbaren Techniken poetischer Darstellung.

Wie Büchners *Lenz*-Erzählung weit verzweigte Traditionen der Pathographie abschließt, so eröffnet sie zugleich eine neue Tradition: die der literarischen Moderne. Von *Lenz* lernt gegen Ende des 19. Jahrhunderts Gerhart Hauptmann für Erzählungen wie *Bahnwärter Thiel* (1888) und *Der Apostel* (1890), von ihm lernen etliche expressionistische Dichter, und so konnte gegen Ende der expressionistischen Zeit der Schriftsteller Arnold Zweig (1887–1968) aus dem Anfang der *Lenz*-Erzählung den Satz »Nur war es ihm manchmal unangenehm, daß er nicht auf dem Kopf gehen konnte« zitieren und dazu als Kommentar schreiben: »Mit diesem Satze beginnt die moderne europäische Prosa« (vgl. Dok. 9, S. 107). Auch die bisher letzte große Phase der literarischen Pathographien, die um 1970 beginnt, greift wiederum auf Büchners *Lenz* zurück.

In der vorliegenden Ausgabe sind einige wichtige Quellen zu *Lenz* abgedruckt. Andere Quellenbezüge sowie Fakten zu den historischen Ereignissen im Januar/Februar 1778, zu Oberlin und dem Steintal als dem Ort der Handlung, vor allem aber die Beziehung des *Lenz*-Textes zu den psychiatrischen Erkenntnissen der Zeit sind in ihren wesentlichen Zügen aus den Stellenerläuterungen ersichtlich. Ebenso finden sich im Anhang einige zentrale Dokumente der Wirkungsgeschichte des *Lenz*. Im Folgenden seien die wichtigsten Tatsachen zur Beurteilungsgeschichte des Falles Jakob Lenz, zu spezifischen psychiatrischen Debatten um 1830 und zu einigen Gründen für die große Wirkung dieses kleinen Textes kurz skizziert.

2. Der Fall Jakob Lenz

Mit Dramen wie dem *Hofmeister* (1774) und dem *Neuen Menoza* (1774) hatte sich Jakob Lenz als die nach Goethe auffälligste Begabung der jungen Generation der 1770er Jahre Anerkennung verschafft, und zugleich war er einer der streitbarsten Teilnehmer an den literaturpolitischen Kämpfen zwischen den jungen »Genies« auf der einen Seite, älteren Aufklärern wie Friedrich Nicolai (1733–1811) oder Christoph Martin Wieland (1733–1813) auf der anderen. Das humoristische oder wirkliche Wohlwollen, das die gebildete Öffentlichkeit seinen exzentrischen Werken entgegenbrachte, war freilich gebunden an die Jugendlichkeit des Dichters. 1776 war Lenz fünfundzwanzig Jahre alt und hätte nach damaligen Erwartungen in Amt und Würden sein sollen, am besten als Pfarrer, wie sein Vater Christian David Lenz (1720–1798) es war und wie es das 1768 angefangene Theologiestudium erwarten ließ.

Diese Erwartung dürfte dazu beigetragen haben, dass Jakob Lenz in dieser Zeit begann, »auffällig« zu werden. Lenz, der bis 1776 eine führende Figur in einem kulturell und literarisch interessierten Zirkel in Straßburg gewesen war, versuchte jetzt sein Glück in Weimar, wohin kurz zuvor, Anfang November 1775, Goethe als Günstling des Herzogs übergesiedelt war. Lenz wurde vom dortigen Hof zunächst toleriert, dann jedoch aufgrund einer noch heute unklaren »Eseley« im Dezember 1776 des Landes verwiesen. Im folgenden Jahr fand er als Hausgast bei Freunden und Bekannten wie Goethes Schwager Johann Georg Schlosser (1739–1799) im badischen Emmendingen, dem Dichter Gottlieb Konrad Pfeffel (1736–1809; s. Erl. zu 26.6) im elsässischen Colmar und bei dem berühmten Zürcher Pfarrer und Schriftsteller Johann Kaspar Lavater (1741–1801; s. Erl. zu 19.28) notdürftiges Unterkommen; seit dem November 1777 beurteilte man ihn als psychisch gestört. Ein Freund, Christoph Kaufmann (1753–1795) aus Winterthur (s. Erl. zu 16.4), nahm ihn bei sich auf, sammelte, da Lenz völlig verarmt war, im Freundeskreis Geld für die Wiederherstellung seiner Garderobe und nahm ihn Anfang Januar 1778 mit auf eine Reise. Deren Ziel war es, verstreut wohnende Freunde, darunter auch den Pfarrer Oberlin in den Vogesen, zu besuchen und zu Kaufmanns Hochzeit mit Anna Elisabeth Ziegler (1750–1826) einzuladen. In Schlossers Haus in Emmendingen bedrohte Lenz einen Arzt, der angeblich den Tod von Schlossers Frau Cornelia Schlosser-Goethe (1750–1777) verschuldet hatte. Die Gruppe um Kaufmann nahm wie vorgesehen den längeren Weg über Straßburg zu Oberlin; Lenz wählte einen kürzeren Weg und erreichte die Pfarrei schon am 20. Januar 1778, Kaufmann erst am Sonntag, dem 25.

Über die Einzelheiten von Lenz' Aufenthalt und Verhalten in Waldersbach unterrichtet Oberlins im Anhang abgedruckter Bericht (Dok. 1). Oberlin, so geht aus seinen Aufzeichnungen hervor, wurde in der Nacht des 20. Januar durch Jakob Lenz' nächtliche Unruhe gestört; er akzeptierte jedoch die Erklärung seines Gastes, dass er wie andere aus seinem Freundeskreis häufig kalt bade (s. Erl. zu 10.19). Als Lenz ihn bald darauf bat, am kommenden Sonntag predigen zu dürfen, sagte er zu. Lenz hatte zuvor nur einmal in seinem Leben auf einer Kanzel gestanden; dass er jetzt predige, war deutliches Zeichen seiner psychischen Stabilisierung. Als Kaufmann am Sonntag ins Steintal kam, verhielt er sich hinsichtlich Lenz merkwürdig geheimnisvoll; aber wiederum sah Oberlin keinen Grund, warum er dem Vorschlag, Lenz für die nächsten Sonntage die Predigt zu überlassen und an dem geplanten großen Hochzeitsfest in der Schweiz teilzunehmen, nicht zustimmen sollte. Kaufmann verband mit diesem Plan sicher noch die weiter gehende Hoffnung, dass Lenz in der Umgebung des Steintals unter Anleitung Oberlins gesunden und sich für seine »Bestimmung«, den Beruf des Pfarrers, werde gewinnen lassen. Indes beschloss Oberlin schon in Baden, die Reise abzukürzen. Er wurde wahrscheinlich durch Schlosser und durch Pfeffel über Lenz' unruhiges Verhalten, sein Zerwürfnis mit dem Vater und die Hoffnungslosigkeit seiner Lebensumstände unterrichtet. Gleichzeitig näherte sich Lenz' psychischer Zustand offenbar einer neuen Krise. Er unternahm den Versuch, ein gerade gestorbenes Kind wieder zu beleben (s. Erl. zu 24.17–18), einen Versuch, der nach zeitgenössischen Ansichten schon als Zeichen religiöser Wahnvorstellungen gelten konnte, der sich zur Not jedoch noch als medizinisch und religiös vertretbar deuten ließ. Oberlin interpretierte ihn als vertretbar und achtete auch nicht darauf, dass Lenz in der Nacht zum 5. Februar sich wiederum in den Brunnen gestürzt hatte. Die gesteigerte Unruhe in Lenz' Verhalten betrachtete er als Zeichen eines sündhaften, vielleicht reuigen Gewissens, und er nutzte die Gelegenheit, den Sünder zu ermahnen: Er solle an das 4. Gebot, die Eltern zu ehren, denken, sich mit seinem Vater versöhnen und Pfarrer werden. Lenz reagierte auf Oberlins Moralpredigt mit äußerster Verstörung, machte Andeutungen über eine Frau, der er die Ehe versprochen und deren Tod er verschuldet habe, war die folgende Nacht von heftigsten Angstanfällen gepeinigt, stürzte sich am nächsten Tag aus dem Fenster, bezichtigte sich öffentlich als Mörder, stürzte sich danach wiederum aus dem Fenster und wurde schließlich so unbeherrschbar, dass Oberlin ihn nach Straßburg schaffen ließ.

Oberlin schrieb den Bericht unmittelbar oder in den nächsten Wochen nach Lenz' Abtransport. Er vermutete einen Zusammenhang zwischen Lenz' Schuldgefühlen gegenüber seiner Geliebten namens Friederike und dem Erweckungsversuch an einem Kind, das ebenfalls Friederike hieß, und glaubte insgesamt zu wissen, warum Lenz krank geworden war. Für ihn war die Krankheit »die Folge der Prinzipien die so manche heutige Modebücher einflößen, die Folgen seines Ungehorsams gegen seinen Vater, seiner herumschweifenden Lebensart, seiner unzweckmäßigen Beschäftigungen, seines häufigen Umgangs mit Frauenzimmern« (vgl. Dok. 1, S. 73). Mit der Konstruktion derartiger Ursachen wurde Lenz zum exemplarischen Fall, an dessen Krankheitsverlauf sich ablesen ließ, was geschieht, wenn ein junger Mann sich dem 4. Gebot und der Lebensregel des »Bete und arbeite« widersetzt, wenn er die Nähe von Frauen nicht meidet oder wenn er der Modephilosophie folgt. Gleich nach Lenz' Tod am 23./24. Mai 1792 in Moskau wünschte sich die literarische Öffentlichkeit eine ausführliche Darstellung seiner Erkrankung, da diese »ein sehr unterrichtendes Gemählde zum Nutzen junger feuriger Freunde der schönen Literatur« sein werde (Dok. 2), und so blieb Lenz bis in die Mitte des 19. Jahrhunderts ein exemplarisch abschreckender Fall (vgl. Dok. 6).

Schon früh begannen sich im zeitgenössischen Bewusstsein der reale Fall Lenz und der fiktive Fall des »Werther« zu vermischen. Im *Werther* hatte Goethe nach eigener Äußerung über »einen jungen Menschen« geschrieben, der »sich in schwärmende Träume verliert, sich durch Spekulation untergräbt, biss er zuletzt durch dazutretende unglückliche Leidenschafften, besonders eine endlose Liebe zerrüttet« wird (Brief an Gottlieb Friedrich Ernst Schönborn vom 1. Juni 1774). Nach diesem Muster beurteilte man seit den 1790er Jahren auch die Krankheitsgeschichte von Lenz und nahm an, dessen bereits angegriffene oder überspannte Nerven hätten durch eine unglückliche Liebe den letzten Stoß erhalten. Im 11., 13. und 14. Buch von *Dichtung und Wahrheit* (1813) behandelte Goethe die Fälle »Werther« und Lenz als Beispiele für eine Krankheit, die die Genies der 1770er Jahre ohne Not und fahrlässig über sich gebracht hätten (vgl. Dok. 3). Im *Werther* habe er – so schrieb Goethe – »das Innere eines kranken jugendlichen Wahns öffentlich und faßlich dar⟨ge⟩stellt« und sich dadurch selber von diesem Wahn geheilt. Auf die jungen Zeitgenossen habe der Roman dagegen nicht heilsam gewirkt, »weil die junge Welt sich schon selber untergraben hatte«, und ein besonders abschreckendes Beispiel dieser kranken Neigung sei Jakob Lenz gewesen. Er habe sich durch »Selbstquälerey« sinnlos beunruhigt, sich mit den »strengsten sittlichen Forderungen« bei gleichzeitiger »größter Fahrlässigkeit im Thun« herumgequält; er vor allem gehörte zu den »Un- oder Halbbeschäftigten, welche ihr Inneres untergruben, und so litt er im allgemeinen von der Zeitgesinnung, welche durch die Schilderung Werthers abgeschlossen seyn sollte«. Dreißig Jahre später und fünf Jahre nach Büchners Erzählung griff der liberale Publizist Georg Gottfried Gervinus

(1805–1871) in seiner Geschichte der deutschen Dichtung (1840) dieses Bild noch einmal auf und erklärte Lenz geradezu zu einem ansteckend Kranken. Lenz sei »das traurigste Opfer der Überspannung dieser Periode« gewesen, und da »seine Leistungen unter die traurigsten Beispiele der unsinnigen Verirrungen gehören, die den Deutschen eigenthümlich sind«, so sei jedes Mitleid mit Lenz ganz unangebracht (Dok. 6).

Eine hiervon leicht abweichende Erklärung des Falles Lenz hatte 1831 Büchners Straßburger Freund August Stöber (1808–1884) vorgetragen. Dessen Vater Daniel Ehrenfried Stöber (1779–1835) war ein langjähriger guter Bekannter Oberlins gewesen, er sichtete nach dessen Tod 1827 den Nachlass und begann an einer umfangreichen Oberlin-Biographie zu arbeiten, die 1831 unter dem Titel *Vie de J. F. Oberlin* erschien. Im Nachlass hatte sich Oberlins Bericht über Lenz' Aufenthalt in Waldersbach gefunden, und als August Stöber 1831 in der Straßburger Bibliothek Briefe von Lenz an einen Freund fand, in denen Lenz von seiner Liebe zu der Sesenheimer Pfarrerstochter Friederike Brion (1752–1813) berichtete, schien der Fall endgültig geklärt. Seit 1772 – so die neue Annahme – hatte sich Lenz in Liebe verzehrt, 1777 kam er aus Weimar in die Gegenden seiner Liebe zurück, sein Wahnsinn brach aus, und beim Umherirren durch die Vogesen kam er zufällig nach Waldersbach (vgl. Dok. 4). Lenz' *Schriften* waren gerade 1828 durch Ludwig Tieck herausgebracht, sein Andenken also »erneuert« worden, Friederike Brion war durch rührende Erzählungen Goethes in *Dichtung und Wahrheit* allgemein bekannt, und so konnte August Stöber auf Interesse an seinen Funden und seiner Theorie rechnen. Er veröffentlichte sie 1831 in einer Stuttgarter Zeitung. Als der Publizist Karl Gutzkow (1811–1878) Büchners Erzählung 1839 erstmals veröffentlichte, machte er in einer Fußnote auf den Zusammenhang zwischen Lenz und »Goethes Friederike« besonders aufmerksam.

3. *Lenz* in der Sicht der zeitgenössischen Psychiatrie

Als Büchner ab Mai 1835 an der *Lenz*-Erzählung zu arbeiten begann, verfügte er über Oberlins Bericht und kannte Goethes *Werther* und seine Lenz-Darstellung in *Dichtung und Wahrheit*, die Mehrzahl von Lenz' Werken in der Ausgabe des Dichters Ludwig Tieck von 1828, August Stöbers Aufsatz von 1831, Daniel Ehrenfried Stöbers Oberlin-Biographie von 1831 sowie weitere Dokumente und Erzählungen zu Lenz und Oberlin. Vor allem aber verfügte er über gründliche psychiatrische Kenntnisse und war deshalb in der Lage, die verfügbaren Daten über Lenz nicht nur genauer zu deuten als seine Vorgänger, sondern vor allem auch einen grundsätzlichen Fehler zu bemerken, der ihren Interpretationen zu Grunde lag.

Zu den wiederkehrenden Ereignissen in der europäischen Kulturgeschichte seit dem 16. Jahrhundert gehören Streitigkeiten zwischen Theologen und Juristen einerseits sowie Medizinern andererseits über die angemessene Beurteilung zweifelhafter psychischer Zustände. Im 16. Jahrhundert war strittig, ob Erzählungen von sogenannten Hexen über Teufelsbündnisse als Fakten oder als »melancholische Wahnvorstellungen« einzuschätzen seien; im 18. Jahrhundert stritt man außer über die Bestrafung von Gotteslästerern über die Beurteilung von Selbstmördern, die von der Kirche fast durchweg als Sünder, von Psychologen weitgehend als Kranke eingeschätzt wurden. In Goethes *Werther* geht es unter anderem auch um diese Frage, und der abschließende Satz des Romans, »Kein Geistlicher hat ihn ⟨den Selbstmörder Werther⟩ begleitet«, war ein Angriff auf die Mitleidlosigkeit des Klerus. In der ersten Hälfte des 19. Jahrhunderts war vor allem die juristische Behandlung von Straftätern strittig, die bei scheinbar ungetrübtem Verstand aus offenbar zwanghaftem Antrieb einen Mord begangen hatten. Eine Debatte dieser Art entzündete sich um den Leipziger Mörder Johann Christian Woyzeck (1780–1824), dessen Hinrichtung einige Psychiater als »schandhaften Justizmord« beurteilten. Büchners Drama *Woyzeck* (1836) war unter anderem als Beitrag zu dieser Debatte geplant. Eine andere Debatte galt schon im späten 18. Jahrhundert, dann verstärkt seit den 1820er Jahren, der Frage, wie so genannte religiöse Melancholiker zu behandeln seien. Melancholiker dieses Typs litten unter starker Sündenangst und erzählten von unverzeihlichen Vergehen, deren sie sich schuldig gemacht hätten. Seelsorger pflegten deren Geschichten ernst zu nehmen und die Kranken zwar mit christlicher Liebe, aber eben doch als Sünder zu behandeln, andere moralistisch orientierte Psychiater suchten darin nach Verstößen gegen eine verantwortliche Lebensführung, die zur Erkrankung geführt hätten. Die Vertreter der Gegenpartei deuteten dagegen die Erzählungen der Kranken kategorial anders, nämlich nicht als Hinweise auf tatsächliche Sünden, sondern als quälende Phantasievorstellungen. Sie nahmen an, dass die Kranken aus somatischen, also körperlichen Gründen unter Angstvorstellungen litten und dass sie zu diesen Angstvorstellungen Ursachen hinzuerfänden, um sich die ihnen selbst unerklärliche Angst verstehbar zu machen.

Die christlich geprägte Bevölkerung Europas verdankte den größten Teil ihrer Phantasievorstellungen, und darunter auch die angstbesetzten, der biblischen Tradition; deshalb – so argumentierten die skeptischen Psychiater – orientierten die Kranken sich auch in ihren Ängsten an der Bibel und stellten sich vor, schwere Sünden, darunter vor allem die nicht vergebbare Sünde wider den Heiligen Geist, begangen zu haben, von Gott verlassen und verdammt oder zu ewiger Einsamkeit verurteilt zu sein (s. Erl. zu 25.32–33, 26.15, 31.31–33). Religiöse Melancholie war demnach eine von Pfarrern und jedenfalls durch Bibellektüre verursachte Krankheit. Die Kranken, so folgte daraus, sollten die Nähe der Pfarrer meiden und vor Bibellektüre gewarnt werden. So schrieb der liberale Psychiater Friedrich Bird in seiner *Pathologie* von 1836: »Ein Mensch ist melancholisch, hat die fürchterlichste Angst, nichts als den Catechismus studirt und daraus am besten die Lehre vom Satan behalten; ist es ein Wunder, wenn er seine Angst auf den Satan schiebt?« (S. 128). Und weiter: »Man muß, um Wahnsinn und Melancholie von Verbrechen und Sünde richtig trennen zu können, das Gewissen in ein gesundes und ein krankes eintheilen oder vielmehr Gewissen von Angst zu trennen wissen. [. . .] der Melancholiker [. . .] klagt, weint, jammert und die Zahl der Sünden ist groß, die er oft lügt und mindestens vergrößert, [. . .] das macht die Bauchangst, die er fühlt [. . .], die er für Sündenangst ausgibt und die doch nichts mit dem Gewissen gemein hat, es ist blosse Krankheit, die der Arzt heilen soll und indem eine frühere Zeit eine solche Angst mit Gewissen verwechselte, war die Behandlung der Geisteskranken grausam [. . .]: es wird stets zu bedauern bleiben, dass man körperliche Angstgefühle je mit Reue verwechseln konnte!« (S. 175) Derartige Sätze lösten in der ersten Hälfte des 19. Jahrhunderts heftige, auch politisch folgenreiche Debatten aus; denn so wie bei der Annahme zwangspsychotischer Zustände die Psychiater die Kompetenz der Juristen in Frage stellten, so war die Annahme einer »religiösen Melancholie« ein Angriff auf religiöse Vorstellungen im Allgemeinen und auf die seelsorgerischen Kompetenzen der Geistlichen im Besonderen.

Georg Büchner war Enkel des administrativen Leiters einer psychiatrischen Anstalt, Sohn eines Arztes und psychiatrischen Gutachters sowie Medizinstudent, der auch psychiatrische Vorlesungen hörte. Als derartiger Fachmann deutete Büchner Oberlins Bericht und Goethes Erinnerungen an Lenz vermutlich in folgender Weise: Lenz war schon 1776 in Weimar durch seine rege Phantasietätigkeit bzw. Phantasterei aufgefallen; er war gleichzeitig von Ängsten und Depressionen gepeinigt, hatte also ein Leiden, das Goethe seinem Freund als »Selbstquälerey« zum Vorwurf machte. Schon vor seiner Ankunft im Steintal hatte er durch psychische Störungen Aufmerksamkeit erregt und in der ersten Nacht in Waldersbach litt er unter heftigen Angstgefühlen, die er durch Bewegung und Kaltwasserbäder zu bekämpfen suchte. Die Krankheit besserte sich so weit, dass Lenz zu predigen wagte. In Oberlins Abwesenheit suchte er ein totes Kind zu erwecken, was hieß: Die Erkrankung spitzte sich auf das Wahnsystem der religiösen Melancholie zu. Bei Oberlins Rückkehr litt er an Schuldvorstellungen in dem Maße, dass er »bei Erinnerung gethaner [. . .] Sünde schauderte, an der Möglichkeit der Vergebung verzweifelte«, ließ nachts ein »Winseln mit hohler, fürchterlicher, verzweifelnder Stimme« hören, erklärte sich privat und öffentlich für einen »Mörder« und litt unter der Vorstellung, dass er alle in seiner Nähe, vor allem Frauen, umbringe (Dok. 1). Goethe hatte die krankhafte »Selbstquälerey«, deren

Zeuge er war, als schuldhaft-unvernünftiges Verhalten beurteilt; Oberlin nahm angesichts von Lenz' Versündigungswahn und seinen religiösen Ängsten an, Lenz erleide Gottes Strafe für vorangegangene Sünden, zeigte also in seelsorgerischer Absicht jenes Vorgehen, das die liberale Psychiatrie als krank machende Fehlleistung der Geistlichen beklagte.

In seiner eigenen Erzählung erfand Büchner über Oberlins Bericht hinaus Einzelheiten für die Angstzustände der ersten Nächte hinzu, ließ im Zusammenhang von Lenz' Predigt eine deutlicher markierte Beruhigungsphase folgen und suchte sich dann vorzustellen, was Lenz in der Atmosphäre des Steintals weiterhin krank gemacht haben dürfte. Dabei beherzigte er die psychiatrische Annahme eines zweiphasigen Ablaufs melancholischer Erkrankungen. In der ersten Phase, so die Annahme, leide der Kranke unter inhaltlich unbestimmten Ängsten, in der zweiten unter inhaltlich bestimmten, also z. B. unter religiösen Angst- und Wahnvorstellungen. Diese entwickelt Lenz offenbar vor allem nach seiner Predigt in Gesprächen mit Oberlin (vgl. 15.3–35), dann durch die Lektüre der Bibel und insbesondere der Apokalypse (Erl. zu 16.2–3), durch eine Wanderung in der von sektiererischer Frömmigkeit geprägten Umgebung des Steintals, die Begegnung mit einem Wunderheiler und schließlich durch tagelange, mit Fasten verbundene »religiöse Quälereien« (Erl. zu 24.8). Nach dem gescheiterten Erweckungsversuch – so die weitere rekonstruierende Erfindung – wird Lenz zum Gegner und Lästerer Gottes, leidet unter der dominierenden Vorstellung religiöser Melancholiker, er könne »die Sünde in den heiligen Geist« (Erl. zu 25.32–33) begangen haben, und vergleicht sich deshalb nach Oberlins Rückkehr mit der mythologischen Sünderfigur des »ewigen Juden« (Erl. zu 26.15). Die bereits von Oberlin bemerkten, von August Stöber akzentuierten Elemente erotischer Melancholie rückten dabei an zweite Stelle. Lenz leidet, nicht nur weil er Friederike begehrt, sondern vor allem, weil er wähnt, sie ins Unglück gestürzt oder ihren Tod verursacht zu haben, was übrigens Oberlin schon nahe legte, wenn er als Lenz' Worte notierte: »ich habe sie aufgeopfert [. . .] die Ehe hatte ich ihr versprochen, hernach verlassen«, und wenn er gleichzeitig festhielt, dass Lenz an »das Frauenzimmer« und im gleichen

Atemzug an die eigene Mutter dachte, an beide mit der Vorstellung: »ich bin euer Mörder«. Ob Lenz' Vorstellungen über sein Verhältnis zu Friederike Brion auf wirklichen Ereignissen beruhen, ob er sich zu Recht schuldig glaubt oder nicht: Darüber gibt der Text keine Auskunft.

4. Büchners Arbeit an *Lenz* – Biographik, Psychiatrie und Literatur

In die 1830er Jahre fallen nicht nur Kompetenzstreitigkeiten zwischen Psychiatern und Theologen, sondern auch eine Debatte über die Zuständigkeiten von Dichtung und psychiatrischer Wissenschaft. Hatte man zuvor meist angenommen, dass ein Schriftsteller durch intuitive Einsichten das psychiatrische Wissen bereichern könne, so wurde jetzt umgekehrt die Befürchtung geäußert, die künstlerische Phantasie müsse die Forschung auf Abwege führen. In dieser Situation war es ein günstiger Zufall, dass Büchner sich sowohl in den wissenschaftlichen wie in den dichterischen Traditionen auskannte. Büchner hatte offenbar die Krankenbeschreibungen in den Werken von Dichtern wie Shakespeare, Goethe, Lenz, Tieck oder Hoffmann aufmerksam gelesen und war in der Lage, deren Darstellungen auch aus psychiatrischer Sicht zu interpretieren. An den Werken der Sturm-und-Drang-Periode konnte er die spezifischen Stimmungen, Phantasien und Ängste der Dichter in den 1770er Jahren studieren; die romantischen Dichter hatten insbesondere zum Wirken des »Unterbewussten«, zur Verdrängung von Wunsch- und Angstvorstellungen und zu den Mechanismen zwanghaften Handelns entscheidende Einsichten vermittelt. Außerdem hatten sie Erzähltechniken erprobt, mit denen sich psychische Grenzzustände darstellen ließen. Hierzu gehörten z. B. die Erfassung von Stimmungsnuancen, vor allem des »Schauers«, die Spiegelung der inneren Stimmung im Äußeren von Landschaften, speziell von Gebirgslandschaften, sowie die Entwicklung eines erzählerischen Verfahrens (Figurenperspektive), das den Leser im Unklaren darüber lässt, ob er in reale Ereignisabläufe oder aber in die Wahrnehmungen und Phantasien einer Figur eingeweiht wird.

Die Erläuterungen weisen an ausgewählten Stellen darauf hin, dass Büchner sich für einzelne sprachliche Wendungen oder bestimmte Wunsch- und Angstphantasien von Goethes *Werther* und Lenz' Werken, also von den für ihn wichtigsten Zeugnissen des Sturm und Drang, sowie von Tiecks Erzählungen anregen ließ. In Hinsicht auf Büchners Behandlung der Erzählperspektive sind dagegen hier einige Hinweise nötig.

Zu den besonderen Leistungen des *Lenz*-Textes gehört, dass Büchner in langen Passagen fast ausnahmslos aus figuraler Perspektive erzählt. Der Erzähler teilt uns also im Wesentlichen nur das mit, was Lenz selbst weiß und wahrnimmt, er verfügt über Einblicke in dessen Innenleben, und er unterscheidet nicht eindeutig zwischen subjektiver Vorstellung und objektiv Vorgefallenem. Es ist zu vermuten, dass Büchner dieses Erzählverfahren selbst erst während der Arbeit an *Lenz* entwickelte und dass deshalb diejenigen Teile der Erzählung, in denen vorwiegend aus figuraler Perspektive erzählt wird, den von Büchner zuletzt niedergeschriebenen Entwurf darstellen. Es handelt sich dabei um die Teile 7.1 bis 26.18 sowie um den Schluss der Erzählung ab 33.31.

Dagegen imitieren die Partien 26.19 bis 30.8 und 33.3 bis 33.30 im Wesentlichen das Erzählverfahren von Oberlins Bericht, mit dem Unterschied, dass der Pfarrer von sich selbst in der 1. Person, Büchner hingegen von Oberlin in der 3. Person berichtet. Dem Erzähler dieser Passagen ist Lenz' Innenleben verschlossen; er kann deshalb nur vermuten, was Lenz in der Einsamkeit der Nächte empfindet, ja er kann nicht einmal aus eigener Autorität beschreiben, wie Lenz' angstvolles Stöhnen klingt (vgl. 27.23). Ich vermute, dass uns in diesen Abschnitten der zuerst geschriebene Entwurf der Erzählung vorliegt, wofür auch spricht, dass Büchner sich hier bis in die geringsten Einzelheiten wörtlich an Oberlins Bericht orientiert.

Einem wiederum anderen Erzählverfahren folgt dagegen der Passus 30.9 bis 33.2. Hier fasst ein wissenschaftlich gut informierter Erzähler zusammen, wie sich Lenz' Krankheit in einer unbestimmten Anzahl von Tagen entwickelt und welche unterschiedlichen Zustände dieser dabei durchlebt. Er illustriert an einzelnen anekdotischen Beispielen dessen Verhalten und argumentiert »differentialdiagnostisch«, dass Lenz nur scheinbar Selbstmordabsichten verfolge, in Wahrheit aber sich nur Schmerz zufügen wolle (vgl. Erl. zu 32.25–31). Wie die Erläuterungen zeigen, ist diese Passage voll von psychiatrisch-diagnostischen Einsichten; jedoch wird das Krankheitsbild, das den ersten Teil der Erzählung entstehen lässt, hier noch nicht oder nur als Nebenmotiv deutlich. Ich vermute, dass Büchner mit diesem Textabschnitt sich von Oberlins Erzählstil zu lösen versuchte, aber dieses quasi-wissenschaftliche Erzählverfahren schließlich zu Gunsten des figuralen Erzählens aufgab. Nur für das figurale Erzählen nämlich lässt sich sagen, dass es Einsichten vermitteln könne, die weder dem vorwissenschaftlichen Dokument noch dem wissenschaftlichen Diskurs zugänglich sind. Zu den Gründen, warum Büchners Text in dieser Form aus einzelnen Entwurfsstufen »montiert« wurde, gibt das Kapitel »Entstehung und Überlieferung« weitere Hinweise; auf die Stufen wird auch in der Marginalspalte hingewiesen.

5. Zur Wirkungsgeschichte des Textes

Die Wirkung des *Lenz*-Textes erklärt sich einerseits aus der Plausibilität und wissenschaftlichen Präzision, mit der Büchner in dieser Fallstudie eine Erkrankung von innen her darstellte; sie erklärt sich in Verbindung damit aus dem eben skizzierten erzähltechnischen Verfahren. Welche provozierenden Wirkungen die figurale Erzähltechnik auslösen konnte, zeigt die Reaktion des nachmärzlichen Publizisten Julian Schmidt (1818–1886; vgl. Dok. 7). Schmidt zufolge ist der »Versuch, den Wahnsinn darzustellen«, ohnehin schon »unkünstlerisch«. »Am schlimmsten« aber sei eine derartige Darstellung, »wenn sich der Dichter so in die zerrissene Seele seines Gegenstandes versetzt, daß sich ihm selber die Welt im Fiebertraum dreht«. Welche positiven Wirkungen gleichzeitig von diesem Verfahren ausgehen konnten, belegt nach 1920 die Studie von Arnold Zweig, der in Büchners Erzählverfahren den »Beginn der modernen europäischen Prosa« sah (vgl. Dok. 9). Etwa gleichzeitig mit Arnold Zweig erregte *Lenz* Aufmerksamkeit im Zusammenhang der durch Eugen Bleuler (1857–1939) initiierten Schizophrenieforschung. Unter den Dokumenten bieten wir deshalb Ausschnitte aus einer frühen psychiatrischen Studie zu Lenz (Dok. 10).

Indem Julian Schmidt 1851 erklärte, Georg Büchner sei offenbar krank gewesen (vgl. Dok. 7), wollte er nicht nur einen einzelnen Dichter, sondern vielmehr eine ganze Epoche charakterisieren. Aus der Perspektive der gescheiterten Revolution von 1848 und aus der Sicht der konservativen Publizisten der beginnenden Bismarckzeit waren die revolutionären Schriftsteller der 1830er und 1840er Jahre krank und Büchner, der Verfasser des *Hessischen Landboten* (1834), mehr noch als andere. Die Eindringlichkeit, mit der Büchner in der *Lenz*-Erzählung einen psychisch Kranken darstellte, verführt jedoch Interpreten bis in die Gegenwart hinein dazu, in *Lenz* eine Art von Selbstdarstellung des kranken Autors zu sehen. Nun ist unbestreitbar, dass Büchner der Lenz-Figur ebenso wie Figuren in *Danton's Tod* (1835) oder in *Leonce und Lena* (1836) eigene Ansichten und Erfahrungen lieh (vgl. Erl. zu 13.33–35 u. 14.13–27 sowie zur Kunstauffassung 16.17–18, 16.21–22, 16.31–33). Darüber hinausgehende autobiographische Ausdeutungen legt die *Lenz*-Erzählung ebenso wenig nahe wie der wenig später entstandene *Woyzeck* (1836) oder das zuvor niedergeschriebene Revolutionsdrama *Danton's Tod*. Diesen beiden Werken sind zwei Voraussetzungen gemeinsam: a) Büchner stützt sich beim Schreiben auf verlässliche Dokumentationen, bei *Danton's Tod* auf die vielfältigen Quellen zum Dantonisten-Prozess von 1794, bei *Woyzeck* auf das entscheidende gerichtspsychiatrische Gutachten; b) Büchner schaltet sich ein in eine aktuelle Debatte, bei *Danton's Tod* in die Debatte unter den Revolutionären der 1830er Jahre über die Lehren, die aus dem Jakobinismus der 1790er Jahre zu ziehen seien; bei *Woyzeck* in eine anhaltende Debatte über die juristische Beurteilung zwanghaften Handelns. Wie dargestellt wurde, gelten genau diese Voraussetzungen auch für *Lenz*. Büchner hat mit dieser Erzählung unsere Erkenntnisse über schwer zugängliche Bereiche des menschlichen Bewusstseins erweitert, unsere Sehgewohnheiten verbessert und – hoffentlich – unsere moralischen Reaktionen und Urteile verändert. Die Voraussetzung für diese Leistung ist ein Verständnis von poetischem Schreiben, das auch an Dichtung die von der Wissenschaft gesetzten Maßstäbe von faktischer Genauigkeit und theoretischer Kohärenz anlegt.

Entstehung und Überlieferung

Auf der Flucht vor den großherzoglich-hessischen Polizeibehörden, die seit dem 1. August 1834 in Sachen *Hessischer Landbote* ermittelten, hatte Georg Büchner am 9. März 1835 das für ihn sichere französische Elsass erreicht. Zwischen dem 26. März und 7. April erschien in der Frankfurter Zeitung *Phönix* ein gekürzter Vorabdruck seines Dramas *Danton's Tod*; gleichzeitig wurde die Buchausgabe vorbereitet, die im Juli erschien. Karl Gutzkow, der leitende Redakteur des »Literatur-Blatts«, suchte Büchner für weitere literarische Arbeiten, und zwar möglichst für die besser verkäufliche Gattung der Novellen, zu gewinnen. In diesem Zusammenhang dürfte sich Büchner für den Lenz-Stoff entschieden haben. Anfang Mai unterrichtete er Gutzkow über seine Schreibabsichten, sodass dieser am 12. Mai sich brieflich vergewisserte: »Ihre Novelle Lenz soll jedenfalls, weil Straßburg dazu anregt, den gestrandeten Poeten zum Vorwurf haben?« Spätestens am 10. Mai, so wissen wir aus einer anderen Quelle, verfügte Büchner über Oberlins Bericht zu Lenz (Dok. 1) und über August Stöbers Veröffentlichung im *Morgenblatt* von 1831 (Dok. 4). Im weiteren Verlauf des Frühjahrs dürfte Büchner erste Schreibversuche unternommen haben. Deren Ergebnisse liegen uns wahrscheinlich in den Textteilen 26.19 bis 30.8 und 33.3 bis 33.30 vor. Von einzelnen Erfindungen Büchners und von quasi-redaktionellen Veränderungen abgesehen, gleichen diese Teile fast noch einer Abschrift von Oberlins Bericht.

Im Sommer 1835 hat Büchner vermutlich weitere Informationen zu Lenz gesammelt. Wahrscheinlich fiel in diese Zeit die gründliche Lektüre von Goethes *Dichtung und Wahrheit* (1813; Dok. 3), von Lenz' *Gesammelten Schriften* in der Ausgabe Ludwig Tiecks (1828), von Schriften über Johann Friedrich Oberlin, vor allem Daniel Ehrenfried Stöbers *Vie de J. F. Oberlin* (1831), von Schriften zu den Symptomen und zum Verlauf melancholischer Erkrankungen sowie eine »Ortsbesichtigung« in Waldersbach, die Büchner zu genauen Lagebeschreibungen (z. B. 9.30, 10.27–28) befähigte und die ihn beispielsweise veranlasste, den Brun-

nen, den er im ersten Entwurf abhängig von Oberlin noch als
»Brunnentrog« bezeichnet hatte, jetzt präziser als »Brunnstein«
(vgl. Erl. zu 10.13) zu benennen. Als Frucht seiner psychiatrischen Studien sowie der Lektüre von *Dichtung und Wahrheit*
dürfte Büchner im Sommer als zweiten Entwurf die Berichtpassage (30.9: »Sein Zustand war indessen« bis 33.1–2: »versetzte
sich sonst einen heftigen physischen Schmerz«) notiert haben.
Sichere Informationen über eine intensive Arbeit an *Lenz* liegen
erst wieder im September vor. Gutzkow, der die Herausgabe
einer eigenen Zeitschrift als Organ des Jungen Deutschland
plante, wurde mit seiner Einforderung weiterer Publikationen
jetzt dringlicher. Büchner stellte offenbar für Ende des Jahres
»etwas von mir« (Brief an die Eltern vom 20. September) in
Aussicht, und Gutzkow reagierte darauf am 28. September mit
dem Satz: »In der That, lieber Büchner, häuten Sie sich zum 2ten
Male: geben Sie uns, wenn weiter nichts im Anfang, E r i n n e -
r u n g e n   a n   L e n z : da scheinen Sie Thatsachen zu haben, die
leicht aufgezeichnet sind.« Ein Brief Büchners vom Oktober
1835 an die Eltern erhält dann die bestimmte Absichtserklä-
rung: »Ich habe mir hier allerhand interessante Notizen über
einen Freund Goethe's, einen unglücklichen Poeten Namens
Lenz verschafft, der sich gleichzeitig mit Goethe hier aufhielt
und halb verrückt wurde. Ich denke darüber einen Aufsatz in der
deutschen Revue erscheinen zu lassen.« Um diese Zeit also dürfte sich Büchner vor allem mit der Ausarbeitung seiner Erzählung
beschäftigt und die der letzten Entwurfsstufe angehörenden Teile (Beginn bis 26.18 und 33.31 bis Schluss) niedergeschrieben
haben. Die folgende Kette von Ereignissen machte die geplante
Publikation unmöglich. Am 14. November 1835 wurden in
Preußen alle jungdeutschen Schriften, damit auch die geplante
Deutsche Revue, verboten; am 16. November eröffnete das Gericht in Mannheim wegen »Angriffes auf die Religion« (Gutzkow an Büchner, 4. Dezember 1835) ein Verfahren gegen Karl
Gutzkow; am 30. November wurde Gutzkow in Mannheim verhaftet, und am 10. Dezember erließ die Deutsche Bundesver-
sammlung einen Beschluss »gegen die Verfasser, Verleger,
Drucker und Verbreiter der Schriften aus der unter der Bezeich-
nung ›das junge Deutschland‹ oder ›die junge Literatur‹ bekannten literarischen Schule«.

Büchner bemühte sich seit dem Spätherbst um eine Dozentur an der Universität Zürich, begann an einer naturwissenschaftlichen Dissertation zu arbeiten, und er dürfte diesem Projekt, das seine ökonomische Existenz sichern sollte, Vorrang gegeben haben vor einem literarischen, dessen Publikation ohnehin unsicher geworden war. In einem Brief vom 1. Januar 1836 unterrichtete er die Eltern vom »Verbot der *deutschen Revue*«; jedoch könne er »einige Artikel, die für sie bereit lagen, [...] an den Phönix schicken«. Im Übrigen teilte er mit: »Ich gehe meinen Weg für mich und bleibe auf dem Felde des Dramas.« Büchner nahm die Manuskripte seines *Lenz*-Projekts im Oktober 1836 mit nach Zürich, jedoch gibt es keine Hinweise darauf, dass er nach 1835 weiter an dem auf halber Strecke stecken gebliebenen Projekt gearbeitet oder dass er sich um eine Veröffentlichung der Erzählung bemüht hätte.

Büchners Freunde fanden nach dem Tod des Dichters am 19. Februar 1837 die *Lenz*-Manuskripte in seinem Nachlass. Wilhelm Schulz (1797–1860) beschrieb sie im Büchner-Nachruf vom 28. Februar zunächst als »das Fragment einer Novelle«, bei späterer Gelegenheit dagegen genauer als »die Sammlung der Notizen zu seinem Novellenfragmente und dessen Ausarbeitung« (Schulz 1851, S. 67). Diese Fomulierung lässt an die überlieferten Manuskripte zu *Woyzeck* denken. Büchners Verlobte Wilhelmine Jaeglé (1810–1880) nahm das Konvolut mit nach Straßburg. Anfang September 1837 schickte sie Karl Gutzkow eine Abschrift davon, und zwar vermutlich nicht in Form eines durchgehenden Manuskripts, sondern in Form mehrerer Teilfragmente, denn Gutzkow sprach ihr gegenüber in einem Brief vom 26. Juni 1838 von »den Bruchstücken des Lenz«, die er noch publizieren wolle. In einer öffentlichen Äußerung bezeichnete Gutzkow *Lenz* dagegen mit dem Singular als »Fragment des Lenz« (Gutzkow 1838, S. 49f.) und teilte in der Vorbemerkung zum Erstdruck (Dok. 5) mit: »Leider ist die Novelle Fragment geblieben.« Nach Auskunft dieser Zeugnisse stellte demnach Jaeglé aus der »Sammlung der Notizen zu seinem Novellenfragmente und dessen Ausarbeitung« (W. Schulz) die »Bruchstücke des Lenz« (Gutzkow) her, die Gutzkow dann zu jenem »Fragment« vereinte, das seither als Büchners Text veröffentlicht wird. Die vorliegende Ausgabe verdeutlicht durch Angaben in der Marginalspalte und in den Wort- und Sacherläuterungen die vermutlichen Schnittstellen zwischen den einzelnen »Bruchstücken«, die Jaeglé an Gutzkow geschickt haben dürfte. Nach 33.30 »ganz zitternd« weist der Erstdruck einen Querstrich und großen Zeilendurchschuss auf; hier liegt also anscheinend ein Bruchstück vor, das Wilhelmine Jaeglé vermutlich auf einem Extrabogen niedergeschrieben hatte. Ein weiteres von ihr gesondert abgeschriebenes Bruchstück bildete wahrscheinlich die Berichtpassage 30.9: »Sein Zustand war indessen« bis 33.2: »einen heftigen physischen Schmerz«, und wahrscheinlich war es Gutzkow, der dieses Segment an der ihm geeignet scheinenden Stelle nach der Arbeitsnotiz 30.8: »Siehe die Briefe« und vor der Fortsetzung 33.3: »Den 8. Morgens« einfügte. Im Übrigen griff Karl Gutzkow in den Text anscheinend wenig ein und beschränkte sich vielmehr auf die Hinzufügung des Titels, des Untertitels, der Vor- und Nachbemerkung sowie der Anmerkungen (vgl. Dok. 5). Gutzkow ließ *Lenz* in acht Fortsetzungen publizieren, wodurch eine Reihe von Texteinschnitten entstand, die Büchner nicht intendiert hatte.

Gutzkow veröffentlichte die Erzählung als »Lenz. Eine Reliquie von Georg Büchner.« – In: »Telegraph für Deutschland.« ⟨Redigiert von Karl Gutzkow⟩. – Hamburg: Hoffmann und Campe. Januar 1839. Den folgenden Drucken d2, in »Mosaik. Novellen und Skizzen von Karl Gutzkow.« – Leipzig: J. J. Weber 1842 (= »Vermischte Schriften.« Von Karl Gutzkow. Dritter Band), und d3, »Lenz. Ein Novellenfragment.« – In: »Nachgelassene Schriften« von Georg Büchner. ⟨Hrsg. von Ludwig Büchner⟩. – Frankfurt am Main: J. D. Sauerländer's Verlag 1850, lagen keine Originalhandschrift [H] oder auf diese zurückgehende Abschrift [h] zu Grunde. Sie sind folglich für die Textkritik ohne besondere Bedeutung. Unser Druck folgt dem Erstdruck. Einige offensichtliche Druckfehler, die er enthielt, wurden beseitigt, nämlich: 7.9 *nichts*] *nicht's* d1; 9.21 *zu*] *zn* d1; 12.35 *anredeten*] *anredete* d1; 17.7 *Soldaten«.*] *Soldaten.«*; 19.18 *ruhen*] *rufen* d1; 20.19 *und*] *uud* d1; 23.16 *auf*] *anf* d1; 24.13 *so todt*] *s otodt* d1; 27.25 *fürchterlicher*] *füchterlicher* d1; 32.6 *war*] *was* d1; 33.27 *Augenblick*] *Augenbilck* d1. Einige weitere Eingriffe zur Berichtigung von Irrtümern, die wahrscheinlich Wilhelmine Jaeglé bei der Abschrift unterlaufen waren, sind im Text ersichtlich.

Dokumente zum Fall Jakob Lenz
Dokumente zur Wirkung von Büchners *Lenz*

1. Johann Friedrich Oberlin:
Der Dichter Lenz, im Steinthale.[1]

Den 20. Januar 1778 kam er hieher. Ich kannte ihn nicht. Im ersten Blick sah ich ihn, den Haaren und hängenden Locken nach, für einen Schreinergesell an; seine freimüthige Manier aber zeigte bald daß mich die Haare betrogen hatten. – »Seyen Sie willkommen, ob Sie mir schon unbekannt.« – »Ich bin ein Freund K...'s und bringe ein Compliment* von ihm.« – »Der Name, wenn's beliebt?« – »*Lenz.*« – »Ha, ha, ist er nicht gedruckt?« (Ich erinnerte mich einige Dramen gelesen zu haben, die einem Herrn dieses Namens zugeschrieben wurden.) Er antwortete: »Ja; aber belieben Sie mich nicht darnach zu beurtheilen.«

Empfehlung, Gruß

Wir waren vergnügt unter einander; er zeichnete uns verschiedene Kleidungen der Russen und Liefländer vor; wir sprachen von ihrer Lebensart, u. s. w. Wir logirten* ihn in das Besuchzimmer im Schulhause.

einquartierten

Die darauf folgende Nacht hörte ich eine Weile im Schlaf laut reden, ohne daß ich mich ermuntern konnte. Endlich fuhr ich plötzlich zusammen, horchte, sprang auf, ho⟨r⟩chte wieder. Da hörte ich mit Schulmeisters Stimme laut sagen: *Allez donc au lit – qu'est-ce que c'est que ça – hé! – dans l'eau par un temps si froid! – Allez, allez au lit!* [Gehen Sie doch ins Bett – was soll denn das – wie? – im Wasser bei solch einer Kälte! – Auf, gehen Sie ins Bett!]

[1] Dieser rührende, schlicht und herzlich geschriebene Aufsatz, ist aus Pfarrer Oberlin's Papieren gezogen, ein merkwürdiger Beitrag zur Lebensgeschichte eines unglücklichen, talentvollen Dichters. *S. Vie de J. F. Oberlin*, par *D. E. Stoeber*, p. 215. *Der Dichter Lenz*, Mittheilungen von *Aug. Stöber*, Morgenblatt 1831, Nro. 250 u. ff., wo sich auch die von *Lenz* an *Salzmann* gerichteten Briefe befinden. Mein seliger Freund, der am 19. Februar 1837 zu Zürich gestorben, *G. Büchner*, hat auf den Grund dieses Aufsatzes eine Novelle geschrieben, die aber leider nur Fragment geblieben ist und in der Ausgabe seiner Schriften, die D. Gutzkow besorgt, erscheinen soll. *S. Conversationslexicon der Gegenwart*. Art. *Büchner*.

Der Einsend.

Eine Menge Gedanken durchdrangen sich in meinem Kopf. Vielleicht, dachte ich, ist er ein Nachtwandler und hatte das Unglück in die Brunnbütte* zu stürzen; man muß ihm also Feuer, Thee, machen, um ihn zu erwärmen und zu trocknen. Ich warf meine Kleider um mich und hinunter an das Schulhaus. Schulmeister und seine Frau, noch vor Schrecken blaß, sagten mir: Herr Lenz hätte die ganze Nacht nicht geschlafen, wäre hin und her gegangen, auf's Feld hinter dem Hause, wieder herein, endlich hinunter an den Brunnentrog, streckte die Hände ins Wasser, stieg auf den Trog, stürzte sich hinein und plattscherte drinn wie eine Ente; sie, Schulmeister und seine Frau, hatten gefürchtet er wolle sich ertränken, riefen ihm zu – er wieder aus dem Wasser, sagte, er wäre gewohnt sich im kalten Wasser zu baden, und gieng wieder auf sein Zimmer. – Gottlob, sagte ich, daß es w⟨eit⟩er nichts ist; Herr K... liebt das kalte Bad auch, und Herr L... ist ein Freund von Hn. K...

Das war für uns Alle der erste Schreck; ich eilte zurück um meine Frau auch zu beruhigen.

Von dem an verrichtete er, auf mein Bitten, sein Baden mit mehrerer Stille.

Den 21. ritt er mit mir nach Belmont, wo wir die allgemeine Großmutter, die 176 Abstämmlinge erlebet, begruben. Daheim communicirte* er mir mit einer edeln Freimüthigkeit, was ihm an meinem Vortrag, u. s. w. mißfallen; wir waren vergnügt bei einander, es war mir wohl bei ihm; er zeigte sich in allem als ein liebenswürdiger Jüngling.

Hr. K... hatte mir sagen lassen: er würde, seiner Braut das Steinthal zu zeigen, zu uns kommen und einen Theologen mitbringen, der gerne hier predigen möchte.

Ich bin nun bald eilf Jahre* hier; anfangs waren meine Predigten vortrefflich, nach dem Geschmacke der Steinthäler. Seitdem ich aber dieser guten Leute Fehler kenne und ihre äußerste Unwissenheit in Allem, und besonders in der Sprache selbst, in der man ihnen predigt, und ich mich daher so tief mir immer möglich herunter lassen und dem mir nun bekannten Bedürfniß meiner Zuhörer gemäß zu predigen mich bemühe, seit dem hat man beständig daran auszusetzen. Bald heißt es: ich wäre zu scharf; bald: so könne es Jeder; bald: meine Mägde hätten mir meine

Brunnentrog, Bottich

mitteilte

Am 30.3.1767 hatte Oberlin sein Pfarramt in Waldersbach angetreten.

Predigt gemacht, u. s. w. Ueberdies macht mir das Predigen oft mehr Mühe als alle andre Theile meines Amtes zusammen genommen. Ich bin daher herzlich froh wann bisweilen jemand anders für mich predigen will.

Hr. L..., nachdem er die Schulen der *Conductrices** und Anderes in Augenschein genommen, und er mir seine Gedanken freimüthig über Alles mitgetheilt, äußerte mir seinen Wunsch für mich zu predigen. Ich fragte ihn ob er der Theolog wäre, von dem mir Hr. K... hätte sagen lassen? »Ja,« sagte er, und ich ließ mirs, um obiger Ursachen willen, gefallen; es geschah den darauf folgenden Sonntag, den 25sten. Ich gieng vor den Altar, sprach die Absolution, und Hr. L... hielt auf der Kanzel eine schöne Predigt, nur mit etwas zu vieler Erschrockenheit*. Hr. K... war mit seiner Braut auch in der Kirche. Sobald er konnte bat er mich, mit ihm besonders zu gehn, und fragte mich mit bedeutender Miene, wie sich Hr. L. seitdem betragen und was wir mit einander gesprochen hätten. Ich sagte ihm was ich noch davon wußte; H. K. sagte: es wäre gut. Bald darauf war er auch mit Hrn. L. allein. Es kam mir dies alles etwas bedenklich vor, wollte da nicht fragen, wo ich sah daß man geheimnißvoll wäre, nahm mir aber vor meinen Unterricht weiter zu suchen.

Hr. K. lud mich freundschaftlich ein, mit ihm zu seiner Hochzeit in die Schweiz zu gehn. So gern ich längst die Schweiz gesehen, einen Lavater, einen Pfenninger* und andre Männer gekannt und gesprochen hätte, so sehr meinem Leibe und Gemüthe (ich hatte einige harte Monate gehabt), eine Aufmunterung und Stärkung durch eine Reise wünschbar war, so unübersteigliche Hindernisse fand ich auf allzuvielen Seiten. Hr. K. räumte einen großen Theil durch Mittheilung seines Reiseplanes aus dem Wege: ich überlegte den Rest und fand Möglichkeit.

Am Montag, den 26., nachdem ich meine letzten damaligen Patienten begraben hatte, gieng ich den nächsten Weg über Rhein. Herr L. sollte die Kanzel und mein Hr. Amtsbruder die eigentlichen *Actus pastorales**, die den damaligen Umständen nach, sparsam oder gar nicht vorkommen sollten, versehen.

Ich kam nicht weiter als bis nach Köndringen und Emmendingen, wo ich Hrn. Sander* und am zweiten Ort Hrn. Schlosser zum ersten Mal sah und besprach; sodann über Breisach nach

Marginalien:
Kindergärtnerinnen, Vorschullehrerinnen

Scheu, Zurückhaltung, Schüchternheit

Johann Konrad P. (1747–1792), rel. Schriftsteller

Amtshandlungen eines Pfarrers

Nikolaus Christian S. (1722–1794), Kirchenrat in Köndringen

Colmar, wo ich Hrn. Pfeffel und Lerse kennen lernte; und zurück ins Steinthal.

Befriedigung Ich hatte nun hinlänglichen Unterricht in Ansehung Hrn. L. bekommen, und übrigens so viel Satisfaction* von meiner Reise, daß, so rar bei einem Steinthäler Pfarrer das Geld ist, ich sie nicht um hundert Thaler gebe.

Ueber meine unvermuthete Rückkunft war Hr. L. betroffen und etwas bestürzt, meine Frau aber entzückt, und bald darauf, nach einiger Unterredung, auch Hr. L.

Ich hörte daß in meiner Abwesenheit Vieles, auf Hrn. L...'s Umstände Passendes und für ihn Nützliches, gesprochen worden, ohngeachtet meine Frau die Umstände selbst, die ich erst auf meiner Reise erfuhr, nicht wußte.

Ich erfuhr ferner daß Hr. L., nach vorhergegangenen eintägigen Fasten, Bestreichung des Gesichtes mit Asche, Begehrung eines alten Sackes, den 3. Hornung ein zu Fouday so eben verstorbenes Kind, das Friederike hieß, aufwecken wollte, welches ihm aber fehlgeschlagen.

Er hatte eine Wunde am Fuß hieher gebracht, die ihn hinken machte und ihn nöthigte hier zu bleiben. Meine Frau verband sie ihm täglich und man konnte baldige Heilung hoffen. Durch das unruhige Hinundherlaufen aber, da er das Kind erwecken wollte, verschlimmerte sich die Wunde so sehr, daß man die Entzündung mit erweichenden Aufschlägen w⟨e⟩hren mußte. Auf

Bitten, Ermahnungen unsre und Hrn. K...'s häufige Vorstellungen*, hatte er sein Baden eingestellt, um die Heilung der Wunde zu befördern. In der Nacht aber, zwischen dem 4. und 5. Hornung, sprang er wieder in den Brunnentrog, mit heftiger Bewegung, um, wie er nachher gestand, die Wunde aufs Neue zu verschlimmern.

wohnte Seit Hrn. K...'s Besuch logirte* Hr. L. nicht mehr im Schulhaus, sondern bei uns in dem Zimmer über der Kindsstube. Den Tag hindurch war er auf meiner Stube, wo er sich mit Zeichnen und Malen der Schweizergegenden, mit Durchblättern und Lesen der Bibel, mit Predigtschreiben, und Unterredung mit meiner Frau beschäftigte.

Den 5. Hornung kam ich von meiner Reise zurück; er war, wie ich oben gesagt, anfangs darüber bestürzt, und bedauerte sehr daß ich nicht in der Schweiz gewesen. Ich erzählte ihm daß Hr.

Hofrath Pfeffel die Landgeistlichen so glücklich schätzt, und ihren Stand beneidenswerth hält, weil er so unmittelbar zur Beglückung des Nächsten aufweckt. Es machte Eindruck auf ihn. Ich bediente mich dieses Augenblicks ihn zu ermahnen sich dem Wunsche seines Vaters zu unterwerfen, sich mit ihm auszusöhnen, u. s. w.

Da ich bei manchen Gelegenheiten wahrgenommen daß sein Herz von fürchterlicher Unruhe gemartert wurde, sagte ich ihm, er würde sodann wieder zur Ruhe kommen, und schwerlich eher, denn Gott wußte seinem Worte: »Ehre Vater und Mutter,« Nachdruck zu geben, u. s. w.

Alles was ich sagte waren nur meistens Antworten auf abgebrochene, oft schwer zu verstehende Worte, die er in großer Beklemmung seines Herzens ausstieß. Ich merkte, daß er bei Erinnerung gethaner, mir unbekannter Sünde, schauderte, an der Möglichkeit der Vergebung verzweifelte; ich antwortete ihm darauf; er hob seinen niederhängenden Kopf auf, blickte gen Himmel, rang die Hände, und sagte: »Ach! ach! göttlicher Trost – ach – göttlich – o – ich bete – ich bete an!« ⟨Er⟩ sagte mir sodann ohne Verwirrung, daß er nun Gottes Regierung erkenne und preise, die mich so bald, ihn zu trösten, wieder heimgeführt.

Ich gieng im Zimmer hin und her, packte aus, legte in Ordnung, stellte mich zu ihm hin. Er sagte mit freundlicher Miene: »Bester Herr Pfarrer, können Sie mir doch nicht sagen was das Frauenzimmer macht, dessen Schicksal mir so zentnerschwer auf dem Herzen liegt?« Ich sagte ihm, wußte von der ganzen Sache nichts, ich wolle ihm in Allem, was ihn wahrhaft beruhigen könne, aus allen Kräften dienen, er müßte mir aber Ort und Personen nennen. Er antwortete nicht, stand in der erbärmlichsten Stellung, redete gebrochene Worte: »Ach! ist sie todt? Lebt sie noch? – Der Engel, sie liebte mich – ich liebte sie, sie war's würdig – o, der Engel! – Verfluchte Eifersucht! ich habe sie aufgeopfert – sie liebte noch einen Andern – aber sie liebte mich – ja herzlich – aufgeopfert – die Ehe hatte ich ihr versprochen, hernach verlassen – o, verfluchte Eifersucht! – – O, gute Mutter! – auch die liebte mich – ich bin euer Mörder!«

Ich antwortete wie ich konnte; sagte ihm unter anderm, vielleicht lebten diese Personen alle noch, und vielleicht vergnügt; es mag seyn wie es wolle, so könnte und würde Gott, wenn er sich zu ihm bekehrt haben würde, diesen Personen auf sein Gebet und Thränen, so viel Gutes erweisen, daß der Nutzen, den sie sodann von ihm hätten, den Schaden so er ihnen zugefügt, leicht und vielleicht weit überwiegen würde. – Er wurde jedoch nach und nach ruhiger, und gieng an sein Malen.

Hr. E. hatte mir zu Emmendingen einige in Papier gepakte Gerten, nebst einem Brief für ihn mitgegeben. Eines Males kam er zu mir; auf der linken Schulter hatte er ein Stück Pelz, so ich, wenn ich mich der Kälte lange aussetzen muß, auf den Leib zu legen gewohnt bin. In der Hand hielt er die noch eingepackten Gerten; er gab sie mir, mit Begehren, ich solle ihn damit herumschlagen. Ich nahm die Gerten aus seiner Hand, drückte ihm einige Küsse auf den Mund und sagte: Dies wären die Streiche, die ich ihm zu geben hätte, er möchte ruhig seyn, seine Sachen mit Gott allein ausmachen; alle möglichen Schläge würden keine einzige seiner Sünden tilgen, dafür hätte Jesus gesorgt, zu dem möchte er sich wenden. Er gieng.

Beim Nachtessen war er etwas tiefsinnig. Doch sprachen wir von allerlei. Wir giengen endlich vergnügt von einander und zu Bette. – Um Mitternacht erwachte ich plötzlich; er rannte durch den Hof, rief mit harter etwas hohler Stimme einige Sylben, die ich nicht verstand; seitdem ich aber weiß daß seine Geliebte *Friedericke*[1] hieß, kommt es mir vor als ob es dieser Name gewesen wäre, mit äußerster Schnelle, Verwirrung und Verzweiflung ausgesprochen. Er stürzte sich, wie gewöhnlich, in den Brunnentrog, pattschte drinn, wieder heraus und hinauf in sein Zimmer, wieder hinunter in den Trog, und so einige Mal – endlich wurde er still. Meine Mägde, die in dem Kindsstübchen unter ihm schliefen, sagten, sie hätten oft, insonderheit aber in selbiger Nacht, ein Brummen gehört, das sie mit nichts als mit dem Ton einer Habergeise zu vergleichen w⟨u⟩ßten. Vielleicht war es sein Winseln mit hohler, fürchterlicher, verzweifelnder Stimme.

Freitag den 6., den Tag nach meiner Zurückkunft, hatte ich be-

---

[1] Daß diese Friedericke die Pfarrerstochter aus Sesenheim war, geht aus dem Briefe von Lenz an Salzmann hervor.

schlossen nach Rothau, zu Hrn. Pfr. Schweighäuser* zu reiten. Meine Frau gieng mit. Sie war schon fort, und ich im Begriff auch abzureisen. Aber welch ein Augenblick! Man klopft an meiner Thüre, und Hr. L. tritt herein mit vorwärts gebogenem Leibe, niederwärts hängendem Haupt, das Gesicht über und über und das Kleid hier und da mit Asche verschmiert, mit der rechten Hand an dem linken Arm haltend. Er bat mich ihm den Arm zu ziehen, er hätte ihn verrenket, er hätte sich zum Fenster herunter gestürzt; weil es aber Niemand gesehn, möcht' ich's auch Niemand sagen.

Johann Friedrich S. (1736–?), Pfarrer in Rothau, nahe Waldersbach

Ich that was er wollte und schrieb eilends an Sebastian Scheidecker, Schullehrer von Bellefosse, er solle herunter kommen, Hrn. L. hüten. Ich eilte fort. Sebastian kam und richtete seine Commission* unvergleichlich aus, stellte sich als ob er mit uns hätte reden wollen, sagte ihm daß, wenn er wüßte daß er ihm nicht überlästig oder von etwas abhielte, wünschte er sehr einige Stunden in seiner Gesellschaft zu seyn. Hr. L. nahm es mit besonderem Vergnügen an, und schlug einen Spaziergang nach Fouday vor, – gut. Er besuchte das Grab des Kindes das er hatte erwecken wollen, kniete zu verschiedenen Malen nieder, küßte die Erde des Grabes, schien betend, doch mit großer Verwirrung, riß etwas von der auf dem Grab stehenden Krone ab, als ein Andenken, gieng wieder zurück gen Waldersbach, kehrte wieder um, und Sebastian immer mit. Endlich mochte Hr. L. die Absicht seines Begleiters errathen; er suchte Mittel ihn zu entfernen. Sebastian schien ihm nachzugeben, fand aber heimlich Mittel seinen Bruder Martin von der Gefahr zu benachrichtigen, und nun hatte Hr. L. zween Aufseher statt einen. Er zog sie wacker herum, endlich gieng er nach Waldersbach zurück; und da sie nahe am Dorf waren, kehrte er wie ein Blitz um, und sprang, ungeachtet seiner Wunde am Fuß, wie ein Hirsch gen Fouday zurück. Sebastian kam zu uns um uns das Vorgegangene zu berichten, und sein Bruder setzte dem Kranken nach. Indem er ihn zu Fouday suchte, kamen zwei Krämer und erzählten ihm man hätte in einem Hause einen Fremden gebunden, der sich für einen Mörder ausgäbe, und der Justiz ausgeliefert seyn wollte, der aber gewiß kein Mörder seyn könnte. Martin lief in das Haus und fand es so; ein junger Mensch hatte ihn, auf sein ungestümes

Auftrag

Drängen

Anhalten*, in der Angst gebunden. Martin band ihn los und brachte ihn glücklich nach Waldersbach. Er sah verwirrt aus; da er aber sah daß ich ihn wie immer freundschaftlich und liebreich empfieng und behandelte, bekam er wieder Muth, sein Gesicht veränderte sich vortheilhaftig, er dankte seinen beiden Begleitern freundlich und zärtlich und wir brachten den Abend vergnügt zu.

Ich bat ihn inständig nicht mehr zu baden, die Nacht ruhig im Bette zu bleiben, und wann er nicht schlafen könnte, sich mit Gott zu unterhalten, u. s. w. Er versprach's, und wirklich that er's die folgende Nacht; unsre Mägde hörten ihn fast die ganze Nacht hindurch beten.

Den folgenden Morgen, Samstag den 7., kam er mit vergnügter Miene auf mein Zimmer. Ich hoffte wir würden bald am Ende unsrer gegenseitigen Qual sey⟨n⟩; aber leider der Erfolg zeigte was anders.

Nachdem wir Verschiedenes gesprochen hatten, sagte er mir mit ausnehmender Freundlichkeit: »Liebster Herr Pfarrer, das Frauenzimmer von dem ich ihnen sagte, ist gestorben, ja gestorben – o, der Engel!« – Woher wissen Sie das? – »Hieroglyphen – Hieroglyphen!« – und dann gen Himmel geschaut und wieder: »Ja gestorben – Hieroglyphen!« – Er schrieb einige Briefe, gab mir sie sodann zu, mit Bitte, ich möchte noch selbst einige Zeilen darunter setzen.

In Klopstocks *Messias* ein abgefallener Engel, der bereut und Vergebung erfährt; eine Figur, die zeitgenössisch große Anteilnahme erregte.

Genugtuung

Ich hatte mit einer Predigt zu thun und steckte die Briefe indessen in meine Tasche. In dem einen an eine adelige Dame in W., schien er sich mit Abadonna* zu vergleichen; er redete von Abschied. – Der Brief war mir unverständlich, auch hatte ich nur einen Augenblick Zeit ihn zu übersehen, eh ich ihn von mir gab. In dem andern an die Mutter seiner Geliebten, sagt er, er könne ihr diesmal nicht mehr sagen, als daß ihre Friederike nun ein Engel sey und sie würde Satisfaction* bekommen.

Der Tag gieng vergnügt und gut hin. Gegen Abend wurde ich nach Bellefosse zu einem Patienten geholt. Da ich zurück kam, kam mir Hr. L... entgegen. Es war gelind Wetter und Mondschein. Ich bat ihn nicht weit zu gehn und seines Fußes zu schonen. Er versprach's.

Ich war nun auf meinem Zimmer und wollte ihm jemand nachschicken, als ich ihn die Stieg herauf in sein Zimmer gehn hörte. Einen Augenblick nachher platzte etwas im Hof mit so starkem Schall, daß es mir unmöglich von dem Fall eines Menschen herkommen zu können schien. Die Kindsmagd kam todtblaß und am ganzen Leib zitternd zu meiner Frau: Hr. L. hätte sich zum Fenster hinaus gestürzt. Meine Frau rief mir mit verwirrter Stimme – ich sprang heraus, und da war Hr. L. schon wieder in seinem Zimmer.

Ich hatte nur einen Augenblick Gelegenheit einer Magd zu sagen: »*Vite, chez l'homme juré, qu'il me donne deux hommes,*« und hierauf zu Hrn. Lenz. [Schnell zum Dorfrichter, er soll mir zwei Männer geben.]

Ich führte ihn mit freundlichen Worten auf mein Zimmer; er zitterte vor Frost am ganzen Leibe. Am Oberleib hatte er nichts an als das Hemd welches zerrissen und sammt der Unterkleidung über und über kothig war. Wir wärmten ihm ein Hemd und Schlafrock und trockneten die seinigen. Wir fanden, daß er in der kurzen Zeit die er ausgegangen war, wieder mußte versucht haben sich zu ertränken, aber Gott hatte auch da wieder gesorgt. Seine ganze Kleidung war durch und durch naß.

Nun, dachte ich, hast du mich genug betrogen, nun mußt du betrogen, nun ist's aus, nun mußt du bewacht seyn. Ich wartete mit großer Ungeduld auf die zwei begehrten Mann. Ich schrieb indessen an meiner Predigt fort und hatte Hrn. L… am Ofen, einen Schritt weit von mir sitzen. Keinen Augenblick traute ich von ihm, ich mußte harren. Meine Frau, die um mich besorgt war, blieb auch. Ich hätte so gerne wieder nach den begehrten Männern geschickt, konnte aber durchaus nicht mit meiner Frau oder sonst jemand davon reden; laut, hätte ers verstanden; heimlich, das wollten wir nicht, weil die geringste Gelegenheit zu Argwohn auf solche Personen allzu heftig Eindruck macht. Um halb neun giengen wir zum Essen; es wurde, wie natürlich, wenig geredet; meine Frau zitterte vor Schrecken und Hrn. L… vor Frost und Verwirrung.

Nach kaum viertelstündigem Beisammensitzen fragte er mich ob er nicht hinauf in mein Zimmer dürfte? – Was wollen sie machen, mein Lieber? – etwas lesen – gehn Sie in Gottes Namen; – er gieng, und ich, mich stellend als ob ich genug gegessen, folgte ihm.

Wir saßen; ich schrieb, er durchblätterte meine französische Bibel mit furchtbarer Schnelle, und ward endlich stille. Ich gieng einen Augenblick in die Stubkammer ohne im allergeringsten mich aufzuhalten, nur etwas zu nehmen das in dem Pult lag. Meine Frau stand inwendig in der Kammer an der Thür und beobachtete Hrn. L.; ich faßte den Schritt wieder heraus zu gehen, da schrie meine Frau mit gräßlicher, hohler, gebrochener Stimme: »Herr Jesus, er will sich erstechen!« In meinem Leben hab ich keinen solchen Ausdruck eines tödtlichen, verzweifelten Schreckens gesehn als in dem Augenblick, in den verwilderten, gräßlich verzogenen Gesichtszügen meiner Frau.

Ich war haußen. – Was wollen Sie doch immer machen, mein Lieber? – Er legte die Scheere hin. – Er hatte mit scheußlich starren Blicken umher geschaut, und da er Niemand in der Verwirrung erblickte, die Scheere still an sich gezogen, mit fest zusammen gezogener Faust sie gegen das Herz gesetzt, alles dieß so schnell daß nur Gott den Stoß so lange aufhalten konnte, bis das Geschrei meiner Frau ihn erschreckte und etwas zu sich selber brachte. Nach einigen Augenblicken nahm ich die Scheere, gleichsam als in Gedanken und wie ohne Absicht auf ihn, hinweg; dann, da er mich feierlich versichern wollte daß er sich nicht damit umzubringen gedacht hätte, wollte ich nicht thun als wenn ich ihm gar nicht glaubte.

Weil alle vorigen Vorstellungen wider seine Entleibungssucht nichts bei ihm gefruchtet hatten, versuchte ich's auf eine andre Art. Ich sagte ihm: Sie waren bei uns durchaus ganz fremd, wir kannten sie ganz und gar nicht; ihren Namen haben wir ein einzigmal aussprechen hören, ehe wir sie gekannt; wir nahmen sie mit Liebe auf, meine Frau pflegte Ihren kranken Fuß mit so großer Geduld und sie erzeigen uns so viel Böses, stürzen uns aus einem Schrecken in den andern. – Er war gerührt, sprang auf, wollte meine Frau um Verzeihung bitten; sie aber fürchtete sich nun noch so viel vor ihm, sprang zur Thüre hinaus; er wollte nach, sie aber hielt die Thüre zu. – Nun jammerte er, er hätte meine Frau umgebracht, das Kind umgebracht so sie trage; Alles, Alles bring' er um, wo er hin käme. – Nein, mein Freund, meine Frau lebt noch und Gott kann die schädlichen Folgen des Schreckens wohl hemmen, auch würde ihr Kind nicht davon sterben noch Schaden leiden. – Er wurde wieder ruhiger. Es schlug bald zehn Uhr. Indessen hatte meine Frau in die Nachbarschaft um schleunige Hilfe geschickt. Man war in den Betten; doch kam der Schulmeister, that als ob er mich etwas zu fragen hätte, erzählte mir etwas aus dem Kalender*, und Hr. L., der indessen wieder munter wurde, nahm auch Theil am Discurs*, wie wenn durchaus nichts vorgefallen wäre.

In Volkskalendern standen unterhaltende Geschichten und Anekdoten.

Gespräch

Endlich winkte man mir, daß die zwei begehrten Männer angekommen – o wie war ich so froh! Es war Zeit, eben begehrte Hr. L. zu Bette zu gehn. Ich sagte ihm: »Lieber Freund, wir lieben Sie, Sie sind davon überzeugt, und Sie lieben uns, das wissen wir eben so gewiß. Durch Ihre Entleibung würden Sie Ihren Zustand verschlimmern, nicht verbessern; es muß uns also an Ihrer Erhaltung gelegen seyn. Nun aber sind Sie, wenn Sie die Melancholie überfällt, Ihrer nicht Meister; ich habe daher zwei Männer gebeten in Ihrem Zimmer zu schlafen (wachen dachte ich), damit Sie Gesellschaft, und wo es nöthig, Hilfe hätten.« Er ließ sich's gefallen.

Man wundere sich nicht, daß ich so sagte, und mit ihm umgieng; er zeigte immer großen Verstand und ein ausnehmend theilnehmendes Herz; wenn die Anfälle der Schwermuth vorüber waren, schien alles so sicher und er selbst war so liebenswürdig, daß man sich fast ein Gewissen daraus machte ihn zu argwonen oder zu geniren. Man setze noch das zärtlichste Mitleiden hinzu, das seine unermeßliche Qual, deren Zeuge wir nun so oft gewesen, uns einflößen mußte. Denn fürchterlich und höllisch war es was er ausstund, und es durchbohrte und zerschnitt mir das Herz, wenn ich an seiner Seite die Folgen der Prinzipien die so manche heutige Modebücher einflößen, die Folgen seines Ungehorsams gegen seinen Vater, seiner herumschweifenden Lebensart, seiner unzweckmäßigen Beschäftigungen, seines häufigen Umgangs mit Frauenzimmern, durchempfinden mußte. Es war mir schrecklich und ich empfand eigene, nie empfundene Marter, wenn er, auf den Knieen liegend, seine Hand in meiner, seinen Kopf auf meinem Kniee gestützt, sein blasses, mit kaltem Schweiß bedecktes Gesicht in meinem Schlafrock verhüllt, am ganzen Leibe bebend und zitternd, wenn er so, nicht beichtete, aber die Ausflüsse seines gemarte⟨r⟩ten Gewissens und unbefriedigten Sehnsucht nicht zurück halten konnte. – Er war mir um so bedauerungswürdiger, je schwerer ihm zu seiner Beruhigung beizukommen war, da unsere gegenseitigen Prinzipien einander gewaltig zuwider, wenigstens von einander verschieden schienen.

Nun wieder zur Sache: Ich sagte, er ließ sich's gefallen zwei Män⟨n⟩er auf seinem Zimmer zu haben. Ich begleitete ihn hinein. Der eine seiner Wächter durchschaute ihn mit starren, erschrockenen Augen. Um diesen etwas zu beruhigen sagte ich dem Hr. L. nun vor den zwei Wächtern auf französisch was ich ihm vorhin schon auf meinem Zimmer gesagt hatte, nämlich daß ich ihn liebte, so wie er mich; daß ich seine Erhaltung wünschte und wünschen müßte, da er selbst sähe daß ihm die Anfälle seiner Melancholie fast keine Macht mehr über ihn ließen; ich hätte daher diese zwei Bürger gebeten bei ihm zu schlafen, damit er Gesellschaft, und, im Fall der Noth, Hilfe hätte. Ich beschloß dieß mit einigen Küssen die ich dem unglücklichen Jüngling von ganzem Herzen auf den Mund drückte, und gieng mit zerschlagenen, zitternden Gliedern zur Ruhe.

Da er im Bett war sagte er unter andern zu seinen Wächtern: »*Ecoutez, nous ne voulons point faire de bruit, si vous avez un couteau, donnez-le moi tranquillement et sans rien craindre.*« [Hört, wir wollen keinen Lärm machen. Wenn Ihr ein Messer habt, dann gebt es mir ruhig und ohne etwas zu befürchten.] Nachdem er oft deswegen in sie gesetzt und nichts zu erhalten war, so fieng er an sich den Kopf an die Wand zu stoßen. Während dem Schlaf hörten wir ein öfteres Poltern das uns bald zu-, bald abzunehmen schien, und wovon wir endlich erwachten. Wir glaubten es wäre auf der Bühne*, konnten aber keine Ursache davon errathen. – Es schlug drei, und das Poltern währte fort; wir schellten um ein Licht zu bekommen; unsre Leute waren alle in fürchterlichen Träumen versenkt und hatten Mühe sich zu ermuntern. Endlich erfuhren wir daß das Poltern von Hrn. L. käme und zum Theil von den Wächtern, die, weil sie ihn nicht aus den Händen lassen durften, durch Stampfen auf den Boden Hilfe begehrten. Ich eilte in sein Zimmer. So bald er mich sah, hörte er auf sich den Wächtern aus den Händen ringen zu wollen. Die Wächter ließen dann auch nach ihn festzuhalten. Ich

Dachspeicher

winkte ihnen ihn frei zu lassen, saß auf sein Bette, redete mit ihm, und auf sein Begehren für ihn zu beten, betete ich mit ihm. Er bewegte sich ein wenig, und einsmals schmiß er seinen Kopf mit großer Gewalt an die Wand, die Wächter sprangen zu und hielten ihn wieder.

Ich gieng und ließ einen dritten Wächter rufen. Da Hr. L. den dritten sah, spottete er ihrer, sie würden alle drei nicht stark genug für ihn seyn.

Ich befahl in's geheime mein Wäglein einzurichten, zu decken, noch zwei Pferde zu suchen zu dem Meinigen, beschickte Seb. Scheidecker, Schullehrer von Bellefosse und Johann David Bohy, Schullehrer von Solb⟨ach⟩, zween verständige, entschlossene Männer und beide von Hrn. L. geliebt. Johann Georg Claude, Kirchenpfleger von Waldersbach, kam auch; es wurde lebendig im Haus, ob es schon noch nicht Tag war. Hr. L. merkte was, und so sehr er bald List, bald Gewalt angewendet hatte los zu kommen, den Kopf zu zerschmettern, ein Messer zu bekommen, so ruhig schien er auf ein Mal.

Nachdem ich alles bestellt hatte, gieng ich zu Hrn. L., sagte ihm, damit er bessere Verpflegung nach seinen Umständen haben könnte, hatte ich einige Männer gebeten ihn nach Straßburg zu begleiten und mein Wäglein stünde ihm dabei zu Diensten.

Er lag ruhig, hatte nur einen einzigen Wächter bei sich sitzen. Auf meinen Vortrag jammerte er, bat mich nur noch acht Tage mit ihm Geduld zu haben (man mußte weinen wenn man ihn sah). – Doch sprach er, er wolle es überlegen. Eine Viertelstunde darauf ließ er mir sagen: Ja, er wolle verreisen, stund auf, kleidete sich an, war ganz vernünftig, packte zusammen, dankte jedem in's besondere auf das Zärtlichste, auch seinen Wächtern, suchte meine Frau und Mägde auf, die sich vor ihm versteckt und stille hielten, weil kurz vorher noch, sobald er nur eine Weiberstimme hörte, oder zu hören glaubte, er in größere Wuth gerieth. Nun fragte er nach allen, dankte allen, bat alle um Vergebung, kurz nahm von jedem so rührenden Abschied, daß aller Augen in Thränen gebadet stunden.

Und so reiste dieser bedauerungswürdige Jüngling von uns ab, mit drei Begleitern und zwei Fuhrleuten. Auf der Reise wandte er nirgends keine Gewalt an, da er sich übermannt sahe; aber wohl

List, besonders zu Ensisheim, wo sie über Nacht blieben. Aber die beiden Schulmeister erwiederten seine listige Höflichkeit mit der Ihrigen, und alles gieng vortrefflich wohl aus.

So oft wir reden wird von uns geurtheilt, will geschweigen, wenn wir handeln. Hier schon fällt man verschiedene Urtheile von uns; die Einen sagten: wir hätten ihn gar nicht aufnehmen sollen, – die Andern: wir hätten ihn nicht so lange behalten, – und die Dritten: wir hätten ihn noch nicht fortschicken sollen.

So wird es, denke ich, zu Straßburg auch seyn. Jeder urtheilt nach seinem besondern Temperament (und anders kann er nicht) und nach der Vorstellung, die er sich von der ganzen Sache macht, die aber unmöglich getreu und richtig seyn kann, wenig-stens mußten unendlich viele Kettengleiche* darin fehlen, ohne die man kein richtig Urtheil fällen kann, die aber ausser uns nur Gott bekannt seyn und werden können; weil es unmöglich wäre sie getreu zu beschreiben, und doch oft in einem Ton, in einem Blick, der nicht beschrieben werden kann, etwas steckt, das mehr bedeutet als vorhergegangene erzählbare Handlungen.

Alles was ich auf die nun, auch die zu erwartenden, einander zuwiderlaufenden, sich selbst bestreitenden Urtheile, antworten werde, ist: Alles was wir hierin gethan, haben wir vor Gott ge-than, und so wie wir jedesmal allen Umständen nach glaubten, daß es das Beste wäre.

Ich empfehle den bedauerungswürdigen Patienten der Fürbitte meiner Gemeinen* und empfehle ihn ⟨in⟩ der nämlichen Absicht jedem der dieß liest.

Aus: Erwinia. Ein Blatt zur Unterhaltung und Belehrung in Verbin-dung mit Schriftstellern Deutschlands, der Schweiz und des Elsasses, hg. v. August Stöber, Straßburg 1838/39, Nr. 1 (5.1.1839), S. 6–8; Nr. 2 (12.1.1839), S. 14–16; Nr. 3 (19.1.1839), S. 20–22.

Kettenglieder

Gemeindemit-glieder

2. Friedrich Schlichtegroll: Nachruf.

Den 24. May
gest. zu Moskau
JAC. MICH. REINHOLD LENZ

Sohn des Generalsup. *Lenz* in *Riga*, in seinem 43sten Jahre. In seinen Universitätsjahren, die er zum Theil in *Straßburg* zubrachte, und in der nächst darauf folgenden Periode war er mit einigen Dichtern in freundschaftlicher Verbindung, die nachher sehr berühmt geworden sind. Schon das läßt auf Geist und Talente schließen, die ihm eigen waren; und dieß wird durch seine gedruckten schriftstellerischen Arbeiten bestätigt, besonders durch sein Schauspiel: der Hofmeister. Seine Liebe zum Theater war Enthusiasmus. Der Mangel an einem nützlichen Beruf, für den er sich hätte bestimmen sollen, verursachte, daß seine schätzbaren Talente ungenutzt blieben, und ihn im geistigen und körperlichen Elend verschmachten ließen. Eine zweckmäßige Nachricht von seinem Leben, seinen Schicksalen und seiner Denkungsart in seiner frühern rosenfarbenen, und in seiner spätern traurigen Lebensperiode müßte sehr interessant und lehrreich in philosophischer und moralischer Hinsicht seyn. Derjenige, der *Lenzens* Tod in der A. L. Z. 1792 Int. Bl. No. 99 anzeigte, macht Hofnung, daß, wenn es ihm Zeit und Geschäfte erlaubten, er dieß in Absicht auf die letzten Lebensjahre des Verstorbenen leisten wolle. Es wäre zu wünschen, daß er diesen Beytrag lieferte, woraus, wenn noch Nachrichten über die frühern Jahre des sonderbaren Mannes hinzu kämen, ein sehr unterrichtendes Gemählde zum Nutzen junger feuriger Freunde der schönen Literatur entstehen könnte. Schon das Wenige, was in jener Anzeige gesagt werden konnte, läßt auf das Interesse schließen, welches eine reichhaltigere Nachricht und Schilderung nothwendig haben müßte. »Er starb, heißt es, von wenigen betrauert und von keinem vermißt. Dieser unglückliche Gelehrte, den in der Mitte der schönsten Geisteslaufbahn eine Gemüthskrankheit aufhielt, die seine Kraft lähmte, und den Flug seines Genies hemmte, oder demselben wenigstens eine unordentliche Richtung gab, verlebte den besten Theil seines Lebens in nutzloser Geschäftigkeit, ohne eigentliche Bestimmung. Von allen verkannt, gegen Mangel und Dürftigkeit kämpfend, entfernt von allem, was ihm theuer war, verlohr er doch nie das Gefühl seines Werthes; sein Stolz wurde durch unzählige Demüthigungen noch mehr gereitzt, und artete endlich in jenen Trotz aus, der gewöhnlich der Gefährte der edlen Armuth ist. Er lebte von Allmosen, aber er nahm nicht von jedem Wohlthaten an; – und wurde beleidigt, wenn man ihm ungefordert Geld oder Unterstützung anbot; da doch seine Gestalt und sein ganzes Aeußere die dringendste Aufforderung zur Wohlthätigkeit waren. Er ist auf Unkosten eines grossmüthigen Russischen Edelmanns, in dessen Hause er auch lange Zeit gelebt hat, begraben worden.«

In: Nekrolog auf das Jahr 1792. Enthaltend Nachrichten von dem Leben merkwürdiger in diesem Jahre verstorbener Personen. Gesammelt von Friedrich Schlichtegroll. Gotha, 3. Jahrgang, 2. Band, 1794.

3. Johann Wolfgang von Goethe:
Aus *Dichtung und Wahrheit*

Eilftes Buch.

[. . .]

Will jemand unmittelbar erfahren, was damals in dieser lebendigen Gesellschaft gedacht, gesprochen und verhandelt worden, der lese den Aufsatz Herders über Shakspeare, in dem Hefte von deutscher Art und Kunst, ferner Lenzens Anmerkungen über's Theater, denen eine Uebersetzung von Love's labours lost hinzugefügt war. Herder dringt in das Tiefere von Shakspeare's Wesen und stellt es herrlich dar; Lenz beträgt sich mehr bilderstürmerisch gegen die Herkömmlichkeit des Theaters, und will denn eben all und überall nach Shakspeare'scher Weise gehandelt haben. Da ich diesen so talentvollen als seltsamen Menschen hier zu erwähnen veranlaßt werde, so ist wohl der Ort, versuchsweise einiges über ihn zu sagen. Ich lernte ihn erst gegen das Ende meines Straßburger Aufenthalts kennen. Wir sahen uns selten; seine Gesellschaft war nicht die meine, aber wir suchten doch Gelegenheit uns zu treffen, und theilten uns einander gern mit, weil wir, als gleichzeitige Jünglinge, ähnliche Gesinnungen hegten. Klein, aber nett von Gestalt, ein allerliebstes Köpfchen, dessen zierlicher Form niedliche etwas abgestumpfte Züge vollkommen entsprechen; blaue Augen, blonde Haare, kurz ein Persönchen, wie mir unter nordischen Jünglingen von Zeit zu Zeit eins begegnet ist; einen sanften, gleichsam vorsichtigen Schritt, eine angenehme nicht ganz fließende Sprache, und ein Betragen, das, zwischen Zurückhaltung und Schüchternheit sich bewegend, einem jungen Manne gar wohl anstand. Kleinere Gedichte, besonders seine eignen, las er sehr gut vor, und schrieb eine fließende Hand. Für seine Sinnesart wüßte ich nur das englische Wort whimsical, welches, wie das Wörterbuch ausweis't, gar manche Seltsamkeiten in Einem Begriff zusammenfaßt. Niemand war vielleicht eben deßwegen fähiger als er, die Ausschweifungen und Auswüchse des Shakspeare'schen Genie's zu empfinden und nachzubilden. Die obengedachte Uebersetzung gibt ein Zeugniß hievon. Er behandelt seinen Autor mit großer Freiheit, ist nichts weniger als knapp und treu, aber er weiß sich die Rüstung oder vielmehr die Possenjacke seines Vorgängers so gut anzupassen, sich seinen Gebärden so humoristisch gleichzustellen, daß er demjenigen, den solche Dinge anmutheten, gewiß Beifall abgewann.

Die Absurditäten des Clowns machten besonders unsere ganze Glückseligkeit, und wir priesen Lenzen als einen begünstigten Menschen, da ihm jenes Epitaphium des von der Prinzessin geschossenen Wildes folgendermaßen gelungen war:

> Die schöne Prinzessin schoß und traf
> Eines jungen Hirschleins Leben;
> Es fiel dahin in schweren Schlaf,
> Und wird ein Brätlein geben.
> Der Jagdhund boll! – Ein L zu Hirsch
> So wird es denn ein Hirschel;
> Doch setzt ein römisch L zu Hirsch,
> So macht es funfzig Hirschel.
> Ich mache hundert Hirsche draus,
> Schreib Hirschell mit zwey LLen.

Die Neigung zum Absurden, die sich frei und unbewunden bei der Jugend zu Tage zeigt, nachher aber immer mehr in die Tiefe zurücktritt, ohne sich deßhalb gänzlich zu verlieren, war bei uns in voller Blüthe, und wir suchten auch durch Originalspäße unsern großen Meister zu feiern. Wir waren sehr glorios, wenn wir der Gesellschaft etwas der Art vorlegen konnten, welches einigermaßen gebilligt wurde, wie z. B. folgendes auf einen Rittmeister, der auf einem wilden Pferde zu Schaden gekommen war:

> Ein Ritter wohnt in diesem Haus;
> Ein Meister auch daneben;
> Macht man davon einen Blumenstraus,
> So wird's einen Rittmeister geben.
> Ist er nun Meister von dem Ritt,
> Führt er mit Recht den Namen;
> Doch nimmt der Ritt den Meister mit,
> Weh' ihm und seinem Samen!

Ueber solche Dinge ward sehr ernsthaft gestritten, ob sie des Clowns würdig oder nicht, und ob sie aus der wahrhaften reinen Narrenquelle geflossen, oder ob etwa Sinn und Verstand sich auf eine ungehörige und unzulässige Weise mit eingemischt hätten. Ueberhaupt aber konnten sich die seltsamen Gesinnungen um so heftiger verbreiten und so mehrere waren im Falle daran Theil zu nehmen, als Lessing, der das große Vertrauen besaß, in seiner Dramaturgie eigentlich das erste Signal dazu gegeben hatte. [. . .]

Vierzehntes Buch.

Mit jener Bewegung nun, welche sich im Publicum verbreitete, ergab sich eine andere, für den Verfasser vielleicht von größerer Bedeutung, indem sie sich in seiner nächsten Umgebung ereignete. Aeltere Freunde, welche jene Dichtungen, die nun so großes Aufsehen machten, schon im Manuscript gekannt hatten, und sie deßhalb zum Theil als die ihrigen ansahen, triumphirten über den guten Erfolg, den sie, kühn genug, zum voraus geweissagt. Zu ihnen fanden sich neue Theilnehmer besonders solche, welche selbst eine productive Kraft in sich spürten, oder zu erregen und zu hegen wünschten.

Unter den erstern that sich Lenz am lebhaftesten und gar sonderbar hervor. Das Aeußerliche dieses merkwürdigen Menschen ist schon umrissen, seines humoristischen Talents mit Liebe gedacht; nun will ich von seinem Charakter mehr in Resultaten als schildernd sprechen, weil es unmöglich wäre, ihn durch die Umschweife seines Lebensganges zu begleiten, und seine Eigenheiten darstellend zu überliefern.

Man kennt jene Selbstquälerey, welche, da man von außen und von andern keine Noth hatte, an der Tagesordnung war, und gerade die vorzüglichsten Geister beunruhigte. Was gewöhnliche Menschen, die sich nicht selbst beobachten, nur vorübergehend quält, was sie sich aus dem Sinne zu schlagen suchen, das ward von den besseren scharf bemerkt, beachtet, in Schriften, Briefen und Tagebüchern aufbewahrt. Nun aber gesellten sich die strengsten sittlichen Forderungen an sich und andere zu der größten Fahrlässigkeit im Thun, und ein aus dieser halben Selbstkenntniß entspringender Dünkel verführte zu den seltsamsten Angewohnheiten und Unarten. Zu einem solchen Abarbeiten in der Selbstbeobachtung berechtigte jedoch die aufwachende empirische Psychologie, die nicht gerade alles was uns innerlich beunruhigt für bös und verwerflich erklären wollte, aber doch auch nicht alles billigen konnte; und so war ein ewiger nie beizulegender Streit erregt. Diesen zu führen und zu unterhalten übertraf nun Lenz alle übrigen Un- oder Halbbeschäftigten, welche ihr Inneres untergruben, und so litt er im allgemeinen von der Zeitgesinnung, welche durch die Schilderung Werthers abgeschlossen seyn sollte; aber ein individueller Zuschnitt unterschied ihn von allen Uebrigen, die man durchaus für offene redliche Seelen anerkennen mußte. Er hatte nämlich einen entschiedenen Hang zur Intrigue, und zwar zur Intrigue an sich, ohne daß er eigentliche Zwecke, verständige, selbstische, erreichbare Zwecke dabei gehabt hätte; vielmehr pflegte er sich immer etwas Fratzenhaftes vorzusetzen, und eben deßwegen diente es ihm zur beständigen Unterhaltung. Auf diese Weise war er Zeitlebens ein Schelm in der Einbildung, seine Liebe wie sein

Haß waren imaginär, mit seinen Vorstellungen und Gefühlen verfuhr er willkürlich, damit er immerfort etwas zu thun haben möchte. Durch die verkehrtesten Mittel suchte er seinen Neigungen und Abneigungen Realität zu geben, und vernichtete sein Werk immer wieder selbst; und so hat er niemanden den er liebte, jemals genützt, niemanden den er haßte, jemals geschadet, und im Ganzen schien er nur zu sündigen, um sich strafen, nur zu intriguiren, um eine neue Fabel auf eine alte pfropfen zu können.

Aus wahrhafter Tiefe, aus unerschöpflichter Productivität ging sein Talent hervor, in welchem Zartheit, Beweglichkeit und Spitzfindigkeit mit einander wetteiferten, das aber, bei aller seiner Schönheit, durchaus kränkelte, und gerade diese Talente sind am schwersten zu beurtheilen. Man konnte in seinen Arbeiten große Züge nicht verkennen; eine liebliche Zärtlichkeit schleicht sich durch zwischen den albernsten und barockesten Fratzen, die man selbst einem so gründlichen und anspruchlosen Humor, einer wahrhaft komischen Gabe kaum verzeihen kann. Seine Tage waren aus lauter Nichts zusammengesetzt, dem er durch seine Rührigkeit eine Bedeutung zu geben wußte, und er konnte um so mehr viele Stunden verschlendern, als die Zeit, die er zum Lesen anwendete, ihm bei einem glücklichen Gedächtniß immer viel Frucht brachte, und seine originelle Denkweise mit mannichfaltigem Stoff bereicherte.

Man hatte ihn mit liefländischen Cavalieren nach Straßburg gesendet, und einen Mentor nicht leicht unglücklicher wählen können. Der ältere Baron ging für einige Zeit in's Vaterland zurück, und hinterließ eine Geliebte an die er fest geknüpft war. Lenz, um den zweyten Bruder, der auch um dieses Frauenzimmer warb, und andere Liebhaber zurückzudrängen, und das kostbare Herz seinem abwesenden Freunde zu erhalten, beschloß nun selbst sich in die Schöne verliebt zu stellen, oder, wenn man will, zu verlieben. Er setzte diese seine These mit der hartnäckigsten Anhänglichkeit an das Ideal, das er sich von ihr gemacht hatte, durch, ohne gewahr werden zu wollen, daß er so gut als die Uebrigen ihr nur zum Scherz und zur Unterhaltung diene. Desto besser für ihn! Denn bei ihm war es auch nur Spiel, welches desto länger dauern konnte als sie es ihm gleichfalls

spielend erwiederte, ihn bald anzog, bald abstieß, bald hervor-
rief, bald hintansetzte. Man sey überzeugt, daß wenn er zum
Bewußtseyn, kam, wie ihm denn das zuweilen zu geschehen
pflegte, er sich zu einem solchen Fund recht behaglich Glück
gewünscht habe.

Uebrigens lebte er, wie seine Zöglinge, meistens mit Officieren
der Garnison, wobei ihm die wundersamen Anschauungen, die
er später in dem Lustspiel »die Soldaten« aufstellte, mögen geworden seyn.

Indessen hatte diese frühe Bekanntschaft mit dem Militär die
eigene Folge für ihn, daß er sich für einen großen Kenner des
Waffenwesens hielt; auch hatte er wirklich dieses Fach nach und
nach so im Detail studirt, daß er einige Jahre später ein großes
Memoire an den französischen Kriegsminister aufsetzte, wovon
er sich den besten Erfolg versprach. Die Gebrechen jenes Zustandes waren ziemlich gut gesehn, die Heilmittel dagegen lächerlich und unausführbar. Er aber hielt sich überzeugt, daß er
dadurch bei Hofe großen Einfluß gewinnen könne, und wußte es
den Freunden schlechten Dank, die ihn, theils durch Gründe,
theils durch thätigen Widerstand, abhielten, dieses phantasti-
sche Werk, das schon sauber abgeschrieben, mit einem Briefe
begleitet, couvertirt und förmlich adressirt war, zurückzuhalten,
und in der Folge zu verbrennen.

Mündlich und nachher schriftlich hatte er mir die sämmtlichen
Irrgänge seiner Kreuz- und Querbewegungen in Bezug auf jenes
Frauenzimmer vertraut. Die Poesie die er in das Gemeinste zu
legen wußte, setzte mich oft in Erstaunen, so daß ich ihn drin-
gend bat, den Kern dieses weitschweifigen Abenteuers geistreich
zu befruchten, und einen kleinen Roman daraus zu bilden; aber
es war nicht seine Sache, ihm konnte nicht wohl werden, als
wenn er sich gränzenlos im Einzelnen verfloß und sich an einem
unendlichen Faden ohne Absicht hinspann. Vielleicht wird es
dereinst möglich, nach diesen Prämissen, seinen Lebensgang, bis
zu der Zeit da er sich in Wahnsinn verlor, auf irgend eine Weise
anschaulich zu machen; gegenwärtig halte ich mich an das
Nächste, was eigentlich hierher gehört.

Kaum war Götz von Berlichingen erschienen, als mir Lenz einen
weitläufigen Aufsatz zusendete, auf geringes Conceptpapier ge-

schrieben, dessen er sich gewöhnlich bediente, ohne den mindesten Rand weder oben noch unten, noch an den Seiten zu lassen. Diese Blätter waren betitelt: Ueber unsere Ehe, und sie würden, wären sie noch vorhanden, uns gegenwärtig mehr aufklären als mich damals, da ich über ihn und sein Wesen noch sehr im Dunkeln schwebte. Das Hauptabsehen dieser weitläufigen Schrift war, mein Talent und das seinige neben einander zu stellen; bald schien er sich mir zu subordiniren, bald sich mir gleich zu setzen; das alles aber geschah mit so humoristischen und zierlichen Wendungen, daß ich die Ansicht, die er mir dadurch geben wollte, um so lieber aufnahm, als ich seine Gaben wirklich sehr hoch schätzte und immer nur darauf drang, daß er aus dem formlosen Schweifen sich zusammenziehen, und die Bildungsgabe, die ihm angeboren war, mit kunstgemäßer Fassung benutzen möchte. Ich erwiederte sein Vertrauen freundlichst, und weil er in seinen Blättern auf die innigste Verbindung drang (wie denn auch schon der wunderliche Titel andeutete), so theilte ich ihm von nun an alles mit, sowohl das schon Gearbeitete als was ich vorhatte; er sendete mir dagegen nach und nach seine Manuscripte, den Hofmeister, den neuen Menoza, die Soldaten, Nachbildungen des Plautus, und jene Uebersetzung des englischen Stücks als Zugabe zu den Anmerkungen über das Theater. Bei diesen war es mir einigermaßen auffallend, daß er in einem lakonischen Vorberichte sich dahin äußerte, als sey der Inhalt dieses Aufsatzes, der mit Heftigkeit gegen das regelmäßige Theater gerichtet war, schon vor einigen Jahren, als Vorlesung, einer Gesellschaft von Literaturfreunden bekannt geworden, zu der Zeit also, wo Götz noch nicht geschrieben gewesen. In Lenzens Straßburger Verhältnissen schien ein literarischer Cirkel den ich nicht kennen sollte, etwas problematisch; allein ich ließ es hingehen, und verschaffte ihm zu dieser wie zu seinen übrigen Schriften bald Verleger, ohne auch nur im mindesten zu ahnen, daß er mich zum vorzüglichsten Gegenstande seines imaginären Hasses, und zum Ziel einer abenteuerlichen und grillenhaften Verfolgung ausersehen hatte.

[. . .]

Aus: Johann Wolfgang Goethe: Dichtung und Wahrheit. Dritter

Kommentar

Theil. Eilftes Buch. Vierzehntes Buch, in: Goethe's Werke. Vollständige Ausgabe letzter Hand. Bd. XXVI, Stuttgart und Tübingen 1829,
S. 75–78, 247–253.

4. August Stöber: Der Dichter Lenz.

Mittheilungen.

> »Er stößt mich eben so sehr ab, als er mich anzieht, so zart, rührend,
> kräftig, ja groß er zu Zeiten seyn kann, so klein, widerwärtig und roh
> erscheint er dann wieder, und zwar aus Willkühr, um mit dem En-
> thusiasmus ein verhöhnendes Spiel, und mit dem Spiele selbst ein an-
> deres, ganz außer der Poesie liegendes zu treiben, welches dieses und
> jede Poesie vernichtet.«
>
> L. *Tieck* Einleitung zu Lenz's Schriften.

Den unglücklichen, fast bis auf den Namen verschollenen Dichter *Lenz* hat der Lebenserwecker so vieler herrlichen Blüthen,
Ludwig Tieck, wieder zuerst unter die Auferstandenen gebracht[1]. Er hat das Zerstreute gesammelt und die in psychologischer und poetischer Hinsicht gleich wichtigen Blätter, in welchen der Dornen so viele sind als der Rosen, zu einem Strauße
gewunden. Es ist ein merkwürdiges Denkmal jener Sprüh- und
Glühperiode der deutschen Literatur, welche durch Goethes Erscheinen hereinbrach. In ihm zeigt sich die ganze Kraft und Un-
kraft derselben; ihr schönes, segenvolles, wie ihr verzerrtes,
krampfhaftes Bild. Aber vor den vielen Bären, die mit ihren Tat-
zen in Goethes Leier schlugen, zeichnet sich der Lenzische Ge-
nius siegreich aus. Bei ihm war es nicht Unvermögen, Nachah-
men aus Tölpelei, wohl aber allzuüppiges Geistesfunkeln, freu-
diges Ergreifen des Verwandten, des Eigenen, und durch Goethe
in seinem Herzen Hervorgerufenen.
Folgende Mittheilungen mögen dem Psychologen und Litera-
toren vielleicht keine unwillkommene Gabe seyn; sie enthalten
Notizen über des Dichters Leben und Ergänzungen zu Tiecks
wenigen Angaben, besonders zu seinem Aufenthalte in den

---

[1] *Gesammelte Schriften von J. M. R. Lenz.* Berlin bei Reimer,
1828. 3 Bde.

Rheingegenden, in welchen er des Erfreulichen und Unheilbringenden so Vieles genoß, in welchen sein poetisches Talent seine ganze Richtung bekam und sein Leben ein ganz umgestaltetes, neues ward.

Die Quellen, aus welchen ich schöpfe, sind Briefe von Lenz selbst, Aufsätze und mündliche Nachrichten von einigen wenigen noch lebenden Freunden und Bekannten, und ein, zum Theil von Lenz geführtes, Protokoll der Straßburger Gesellschaft für deutsche Sprache.

Jakob Michael Reinhold Lenz wurde zu Seßwigen in Liefland den 12ten Januar 1750 geboren. Er studirte 1768 in Königsberg, und begab sich von da aus nach Berlin, wo er einige literarische Verbindungen knüpfte. Im Jahr 1771 begleitete er einen jungen Edelmann, *Herrn von Kleist*, nach der damals weit berühmten alten Universität Straßburg. Hier verband er sich aufs Innigste mit seinem »guten Sokrates,« dem freundlichen, gemüthreichen Aktuarius *Salzmann*[2], von welchem *Goethe* und *Jung-Stilling* in ihren Selbstbiographien mit so vielem Entzücken sprechen. Sein Verhältniß zu diesem lieben Manne wird sich dem Leser am besten aus den nachfolgenden Briefen zeigen. – Salzmann hatte einen Kreis talentvoller Jünglinge um sich her versammelt, deren literarische Arbeiten er leitete. Die heiterste Lebensphilosophie, verbunden mit reichen, vielseitigen Kenntnissen, einem richtigen Blick und seinem Geschmacke, gewannen ihm bald alle Herzen. Besonders Lenz, dessen Geist sich in diesem Zirkel schwärmerisch allen Eindrücken des Schönen aufschloß, gewann ihn für das Leben lieb. Auch *Herder*, *Stilling* und *Lerse* lernte er hier kennen, und was von noch bedeutenderem Einfluß auf ihn war, in der lezten Zeit *Goethe*[3]. Jezt that sich ihm eine schöne Welt auf. Shakespeare wurde gemeinschaftlich studirt, übersezt und bearbeitet; und Lenz, welcher sich, wie Goethe sagt, bilderstürmerisch gegen alle Herkömmlichkeit des Theaters betrug, und überall Shakespeare hinstellen wollte, wurde von mancher Ver-

---

[2] S. *Salzmanns Nekrolog*, von *Moriz Engelhard*, im Morgenblatt, Oktober 1812.

[3] Siehe das interessante Bild, welches *Goethe* von *Lenz* entwirft, in Wahrheit und Dichtung, 3ter Theil, 11tes Buch.

irrung zurückgehalten. Goethes Abschied von Straßburg that ihm sehr wehe; er sezte ihm in folgenden Versen ein kleines Denkmal:

> Ihr stummen Bäume, meine Zeugen,
>> Ach! käm' er ohngefähr
>> Hier, wo wir saßen, wieder her,
> Könnt ihr von meinen Thränen schweigen?

Im Sommer 1772 verließ Lenz Straßburg, welches er jedoch zuweilen noch besuchte, und zog mit Herrn von Kleist nach Fort-Louis, einer ehemals beträchtlichen Inselfestung auf dem Rheine. In *Sesenheim*, nicht weit davon, machte er die Bekanntschaft der schönen *Friederike Brion*, der jüngsten Tochter des dortigen Pfarrers, von welcher ihr früherer Geliebter, Goethe, sagt: »Aus heitern blauen Augen blickt sie sehr deutlich umher, und das artige Stumpfnäschen forscht so frei in die Luft, als wenn es in der Welt keine Sorge geben könnte.« Heiße, ewige Liebe schworen sich beide. Lenz trank einen vollen Kelch der süßesten Wonne, die sich leider in der Folge in den bittersten Schmerz auflöste und seinem ganzen Leben jene traurige Wendung gab, welche ihn verzehrte. Der Gedanke an seine Geliebte absorbirte ihn ganz; in ihm gingen alle andern Gedanken unter. Nur das Studium von Plautus und Shakespeare, seiner Lieblingsdichter, brachte ihn wieder zu sich selbst. Sein ganzer Gemüthszustand, in Licht und Schatten, ist aus allen Erscheinungen jener Periode erklärlich. Gegen das Spätjahr 1772 begab sich Lenz nach Landau, und kehrte hierauf, wie es scheint, mit erneuetem Lebensmuthe nach Straßburg zurück, wo er, einige Zwischenreisen ausgenommen, bis in den März 1776 blieb.

Salzmann hatte im Januar 1775, besonders auf seiner jugendlichen Freunde Antreiben, eine neue Gesellschaft »zur Ausbildung der deutschen Sprache« gegründet. Aus diesem schönen zahlreichen Vereine gingen einige sehr ausgezeichnete Männer hervor. Die bekanntesten und merkwürdigsten, außer *Salzmann* und *Lenz*, sind: Magister *Leypold*, ein gründlicher Philolog, in der alten holländischen Schule gebildet, ein Mann, von dessen Originalitäten noch jezt tausend Anekdoten kreisen; er las in-

teressante Notizen über Sebastian Brandt und dessen Narren-
schiff vor; der edle Dr. *Blessig*, Professor der Theologie (gestorben 1816), dem das Elsaß den unsterblichen Namen: »Mann der
Liebe« gegeben hat; der gelehrte, geistreiche und witzige Dr.
Haffner, zulezt Dekan der theologischen Fakultät zu Straßburg,
(gest. 1831); *Johannes von Türkheim*, dessen Geschichte von
Hessen, in drei Theilen, berühmt geworden; *Otto*, ein Gehülfe
des Philologen *Brunk*, ein Mann von großem politischen Ein-
flusse, zulezt französischer Gesandter in London; *Schönfeld*, ein
Komponist, welcher die Gesellschaft mit launigen Knittelversen
ergözte; Graf *Ramond*, aus Kolmar, gestorben als Staatsrath
und Präfekt der obern Pyrenäen, bekannt durch seine guerre
d'Alsace (Nachahmung von Götz von Berlichingen) und seine
amours alsaciennes; er schloß sich besonders an Lenz an, dem er
die leztere Schrift zueignete; Shakespeare und Goethe waren seine Vorbilder. Hofrath *Schlosser* in Emmendingen und *Michaelis*
in Göttingen waren als Ehrenmitglieder aufgenommen. – Lenz
war, wie aus den Protokollen der Gesellschaft hervorgeht, ihr
eifrigstes Mitglied, und bis zu seiner Abreise von Straßburg ihr
Sekretär. Er theilte mehrere Bearbeitungen von Plautus und
Shakespeare mit, so wie seine Briefe über die Moralität der Leiden des jungen Werthers, Reden über die deutsche Sprache, vermischte Aufsätze und Gedichte, von welchen sich drei in Tiecks
Ausgabe befinden.

Im Sommer 1776 verließ Lenz Straßburg und hielt sich in Weimar, wo er mit *Goethe* umging und *Herder* und *Wieland* näher
kennen lernte, und in der Umgegend auf. Wie von einem unver-
meidlichen Schicksale erfaßt, kam er aber gegen das Ende des
folgenden Jahres wieder in das Elsaß. Hier brach sein, oft in
dumpfes Hinbrüten, in bange Schwermuth versunkenes Gemüth
in vollen Wahnsinn aus, der zuweilen zur tollsten Raserei wurde.
Er irrte im tiefen Winter durch Schnee und Wind in den Vogesen
umher und kam so, im Jänner 1778, in seinem Aeußern auf's
Höchste vernachläßigt, zu dem würdigen Pfarrer *Oberlin*[4] nach
Waldbach, im Steinthale, wo dieser und seine Gattin dem un-

[4] Ueber diesen großen Menschenfreund, den Begründer des Glücks
von vielen Tausenden, dessen Namen jezt dankbar in ganz Eu-

bekannten kranken Jünglinge einige Wochen lang die liebevollste, ängstlichste Pflege angedeihen ließen. Hier nahm sein Wahnsinn die verschiedenartigsten, grellsten Gestalten an. Oberlin hat die geringsten Umstände dieser seltsam traurigen Scene mit psychologischer Treue in einem ziemlich großen Aufsatze niedergeschrieben; ich will hier das Merkwürdigste daraus mittheilen:

»Den 20sten Jänner 1778 kam er hierher. Ich kannte ihn nicht. Beim ersten Anblick sah ich ihn, den Haaren und hängenden Locken nach, für einen Schreinergesellen an. Seine freimüthige Manier aber zeigte mir bald, daß mich die Haare betrogen hatten.« – »Seyn Sie mir willkommen, ob Sie mir schon unbekannt.« – »Ich bin ein Freund *Kaufmanns* und bringe ein Kompliment von ihm.« – »Den Namen, wenn's beliebt?« – »Lenz.« – »Ha, ha, ist er nicht gedruckt?« (Ich erinnerte mich, einige Dramen gelesen zu haben, die einem Herrn dieses Namens zugeschrieben worden.) »Ja, ja, aber belieben Sie mich darnach nicht zu beurtheilen.« Mit himmlischer Geduld ertrug Oberlin die Last, womit der Unglückliche ihn drückte. In seinen lichten Augenblicken, sagt er, wenn seine zerrissene Seele, unter Thränen lächelnd, zu ruhen schien, war er so ein herzliches Kind, zeigte ein so reiches, liebendes Gemüth, daß man ihn nur mit tiefem Schmerz anschauen konnte; in seinem kranken Zustande aber ward Leib und Seele krampfhaft und sein ganzes Wesen verwildert. Mehreremale suchte er sich mit einer Scheere zu erstechen, lief mitten in der Nacht, halb entblößt, im Schnee herum, stürzte sich aus dem Fenster hinab in den Hof, oder wälzte sich in dem eisigen Wasser des Brunnentroges. In diesen Augenblicken, welche aber nur von kurzer Dauer waren, rief er oft den Namen »Friederike« aus. – Zulezt mußte ihm Oberlin immer zwei oder drei handfeste Männer halten, die ihn bewachten, denn im

ropa erschallt, verweise ich, nebst den vielen englischen, französischen und deutschen Schriften, auf eine vollständige französische Biographie von seinem Zöglinge, *Ehrenfried Stöber*, verfaßt, wovon auch ein deutscher Auszug erscheinen wird. Beide sollen, mit Lithographien geschmückt, zu Ende dieses Jahrs (Straßburg bei Treutel und Würz) herauskommen.

Wahnsinn suchte er jedes Mittel, sich zu tödten. Eines Morgens, in Oberlins Abwesenheit, erfuhr er, daß in Voudai, bei Waldbach, ein Mädchen, Namens Friederike, gestorben war; sogleich suchte er einen alten Sack hervor, bestrich Gesicht und Haare mit Asche und machte sich auf, das Kind ins Leben zu rufen. Mit niederhängendem Kopfe trat er einst zu Oberlin, rang die Hände und rief: »Ach, ach! göttlicher Trost – ach – göttlich – o ich bete – ich bete an.« Ruhiger sezte er dann hinzu: »Bester Herr Pfarrer, können Sie mir nicht sagen, was das Frauenzimmer macht, dessen Schicksal mir so zentnerschwer auf dem Herzen liegt?« Oberlin antwortete ihm, er wisse von der ganzen Sache nichts. »Ach!« rief Lenz, »ist sie todt? Lebt sie noch? – der Engel, sie liebte mich – ich liebte sie, sie war's würdig – o der Engel – verfluchte Eifersucht, ich habe sie aufgeopfert – sie liebte noch einen andern – aber sie liebte mich – ja herzlich – aufgeopfert – die Ehe hatte ich ihr versprochen – hernach verlassen – o verfluchte Eifersucht! – o gute Mutter – auch die liebte mich – ich bin euer Mörder!« –

Einige Tage hierauf kam er mit ausnehmender Freundlichkeit und sagte: »liebster Herr Pfarrer, das Frauenzimmer, von dem ich Ihnen sagte, ist gestorben, ja gestorben – o der Engel!« – »Woher wissen Sie das?« – »Hieroglyphen! Hieroglyphen! ja gestorben!« und hiemit blickte er stets gen Himmel.

Wenn er ruhig war, zeichnete er Schweizerlandschaften, russische Kleidungen, oder las sehr häufig in der Bibel und schrieb Predigten; er predigte sogar einmal, wie Oberlin sagt, sehr schön, nur etwas schüchtern. Da ihm das strenge Winterklima in dem einsamen Thale nicht wohl bekam, ließ ihn Oberlin, nachdem Lenz von ihm den zärtlichsten Abschied genommen, ihn, als seinen theuersten Freund und Wohlthäter, unter vielen Thränen umarmt hatte, unter sicherem Geleit nach Straßburg bringen. Dort blieb er einige Wochen und ging dann nach Emmendingen, wo er den Tod von Schlossers Gattin, Goethes Schwester, erfuhr, welcher ihn von Neuem sehr ergriff. »*Lenz* ist bei mir,« schreibt *Schlosser* an *Oberlin*, »und drückt mich erstaunlich. Ich habe gefunden, daß seine Krankheit eine wahre Hypochondrie ist. Ich habe ihm heut eine Proposition gethan, wodurch ich ihn gewiß kuriren würde. Aber er ist wie ein Kind, keines Entschlusses fähig, unglaubig gegen Gott und Menschen. Zweimal hat er mir hier große Angst eingejagt; sonst ist er zwischen der Zeit ruhig. Ich würde Euch mit mehr Freiheit schreiben, wenn er nicht da wäre, aber er schlägt mich mit Fäusten und verengt mein armes Herz.«

Schlosser übergab den Unglücklichen einem Schuster zur Pflege, bei welchem er das Schusterhandwerk lernte und sich mit einem jungen Gesellen, Konrad, auf's Brüderlichste verband. Die rührenden Briefe an *Sarasin* in Basel, welche sich hierauf beziehen, theilt Tieck mit.

Lenz brachte auch einige Monate im obern Elsaße zu, besonders in Münster, wo er den gemüthlichen Patriarchen des Thals, Pfarrer *Luke*, so wie in Kolmar *Pfeffel* kennen lernte.

Verlassen und trostlos irrte der Arme noch einige Zeit am Oberrheine umher, war einige Male in Freiburg beim Dichter *Jakobi*, für dessen Iris er mehrere Fragmente aus Ossian übersetzte, und in Basel bei Sarasin, bis ihn im Sommer 1779 sein älterer Bruder, *Karl Heinrich Gottlieb Lenz* abholte und in seine Heimath zurückführte.

Lenz starb in Moskau, nicht, wie Tieck sagt, bald nach 1780, sondern erst den 24sten Mai 1792[5]. »Er starb,« heißt es in der allgem. Lit. Zeit. (1792 Intelligenzblatt Nr. 99.) »von Wenigen betrauert und von Keinem vermißt. Dieser unglückliche Gelehrte, den in der Mitte der schönsten Geisteslaufbahn eine Gemüthskrankheit aufhielt, die seine Kraft lähmte und den Flug seines Genies hemmte, oder demselben wenigstens eine unordentliche Richtung gab, verlebte den besten Theil seines Lebens in nutzloser Geschäftigkeit, ohne eigentliche Bestimmung. Von allen verkannt, gegen Mangel und Dürftigkeit kämpfend, entfernt von allem, was ihm theuer war, verlor er doch nie das Gefühl seines Werthes; sein Stolz wurde durch unzählige Demüthigungen noch mehr gereizt, und artete endlich in jenen Trotz aus, der gewöhnlich der Gefährte der edeln Armuth ist. Er lebte von Allmosen, aber er nahm nicht von jedem Wohlthaten an, und wurde beleidigt, wenn man ihm ungefordert Geld oder Unterstützung anbot, da doch seine Gestalt und sein ganzes Aeu-

[5] S. *Schlichtegrolls Nekrolog* auf das Jahr 1792. Bd. 2. S. 218–220.

ßere die dringendste Aufforderung zur Wohlthätigkeit waren. Er wurde auf Kosten eines großmüthigen russischen Edelmanns, in dessen Hause er auch lange Zeit lebte, begraben.«

Nachfolgende Briefe an Salzmann[6] sind aus dessen literarischem Nachlasse, in welchem sich auch Briefe von Goethe an denselben befinden; er ist im Besitze der Straßburger Stadtbibliothek. Der Güte und Gefälligkeit des Herrn Bibliothekars Professor *Jung* verdanke ich die Erlaubniß, sie hier mittheilen zu dürfen. Sie mögen das so eben entworfene Bild des genialen unglücklichen Dichters noch vollenden helfen.

[. . .]

In: Morgenblatt für gebildete Stände, Nr. 250 (19.10.1831), S. 997–998; Nr. 251 (20.10.1831), S. 1001–1003.

5. Karl Gutzkow: Einleitung und Nachwort zum Erstdruck von *Lenz*

Lenz. Eine Reliquie von Georg Büchner.

In dem Buche: *Götter, Helden, Don Quixote*, wie auch im *Conversationslexicon der Gegenwart* findet man die Lebensmomente eines Dichters erzählt, der unsern Lesern aus den sinnigen Bruchstücken des im vorigen Jahre mitgetheilten Lustspiels Leonce und Lena lieb geworden seyn wird. Hier theilen wir eine zweite Dichtung dieses zu früh gestorbenen Genies mit. Sie hat den Straßburger Aufenthalt des bekannten Dichters der Sturmund Drangperiode, *Lenz*, zum Vorwurf und beruht auf authentischen Erkundigungen, die Büchner an Ort und Stelle über ihn eingezogen hatte. Leider ist die Novelle Fragment geblieben. Wir würden Anstand nehmen, sie in dieser Gestalt mitzutheilen, wenn sie nicht Berichte über Lenz enthielte, die für viele unsrer Leser überraschend seyn werden. Sollte man glauben, daß Lenz, Mitglied einer als frivol und transcendent bezeichneten Litera-

---

[6] Wir werden von Zeit zu Zeit einen dieser Briefe mittheilen.
   D. R.

turrichtung, je in Beziehung gestanden hat zu dem durch seine pietistische Frömmigkeit bekannten Pfarrer *Oberlin* in Steinthal, von dem Steffens in seinem sonst so verwerflichen Romane: die *Revolution,* ein nicht mißlungenes Bild gegeben hat? Büchner hat alles, was auf dieses Verhältniß Bezug hat, glaubwürdigen Familienpapieren entnommen. Lassen wir seine meisterhafte Darstellung des halbwahnsinnigen Dichters beginnen.

[Nachwort]

Bis hieher reicht Büchners Darstellung. Leider ist es uns *in ganz Hamburg* unmöglich die Tieck'sche Einleitung zu Lenzens Schriften aufzutreiben und zu vergleichen, wo sich dies Bruchstück aus dem Leben des Dichters den über ihn bekannten Thatsachen erklärend und ergänzend anreiht. In Betreff Georg Büchners aber wird man einräumen, daß diese Probe seines Genies aufs Neue bestätigt, was wir mit seinem Tod an ihm verloren haben. Welche Naturschilderungen; welche Seelenmalerei! Wie weiß der Dichter die feinsten Nervenzustände eines, im Poetischen wenigstens, ihm verwandten Gemüths zu belauschen! Da ist Alles mitempfunden, aller Seelenschmerz mitdurchrungen; wir müssen erstaunen über eine solche Anatomie der Lebens- und Gemüthsstörung. G. Büchner offenbart in dieser Reliquie eine *reproduktive Phantasie,* wie uns eine solche selbst bei Jean Paul nicht so rein, durchsichtig und wahr entgegentritt. Wir möchten den Verf. des Büchner'schen Nekrologs im *Conversations-Lexicon der Gegenwart* fragen, ob er nach Mittheilung dieses *Lenz* nun noch glaubt, daß wir die Gaben des zu früh Dahingegangenen überschätzten?

In: Telegraph für Deutschland. Januar 1839, Nr. 5, S. 31f., und Nr. 14, S. 110f.

6. Georg Gottfried Gervinus:
Über Jakob Michael Reinhold Lenz

Das traurigste Opfer der Ueberspannungen dieser Periode ist J. M. Reinhold *Lenz* (aus Livland 1750–92). – Er war nach seinen Versuchen aus der Zeit vor seiner Bekanntschaft mit Göthe schon auf dem Wege, sich und andere zu quälen; er gefiel sich schon 1769, die sechs Landplagen, Krieg, Hunger, Pest, Feuers- und Wassernoth und Erdbeben zu besingen, Gegenstände, wider die sich die Phantasie sträubt. Die Freundschaft mit Göthe riß ihn in den größten Dünkel und in einen blinden Wetteifer, um so mehr, je anerkannter in Göthes Kreise sein Genie war; und je geringer später seine Leistungen, je größer Göthes Ruhm ward, desto mehr mußte sich seine Rivalität zu Neid und Bosheit steigern, da auch keine Spur von eigentlicher Sittlichkeit in ihm gewesen zu sein scheint, die dem hätte Einhalt thun können; oder sie mußte zur Selbstverachtung zurücksinken, da kein Bewußtsein von eigentlichem Talente und Verdienste ihn trösten konnte. In Schlossers Haus brach sein Wahnsinn aus. Unglück macht den Beurtheiler mild; man hat daher immer die guten Seiten von Lenz, nach Göthes Vorgang, hervorgesucht. Da seine Leistungen unter die traurigsten Beispiele der unsinnigen Verirrungen gehören, die den Deutschen eigenthümlich sind, da sie das Gepräge seines wirren Wesens an sich tragen, und dieses wieder fremde und eigne Schuld nicht Erbsünde war, so müssen wir vor dieser Milde warnen. Seine Umgebungen verdarben ihn offenbar; die Neigung führte damals zu solchen Compositionen »von Genie und Kindheit, mit Maulwurfsgefühlen und nebligten Blicken«, wie Wieland Lenzen schildert, und zu solchen »milchigen, weiblichen Seelen, die vom poetischen Teufel besessen sind«, wie er den jungen Werther charakterisirte; Er und Göthe fühlten einen Augenblick Wärme für den naiven, lieben Jungen, der sich überall als »Poet à triple carrillon« gerirte, dann ergötzen sie sich, wenn er »regulièrement seine dummen Streiche machte«, nachher fanden sie, daß er »bei all seinem Genie ein dummer Teufel und bei so viel Liebe ein boshaftes Aeffchen sei«, endlich wurden sie seiner satt und ließen ihn laufen. Er selbst verdarb sein Talent mit Knittelversen, Gelegenheitsspöttereien, satirischen Skizzen,

Matineés (einer Gattung, die wohl Merck aufgebracht hatte); und so behielt er keine Spur von Anstand und Ordnungssinn im Leben und Dichtung übrig. Er selbst schrieb sich seine beste Charakteristik mit wenigen Worten an Merck: Seine Gemälde seien alle ohne Styl, wild und nachlässig auf einander gekleckt; ihm fehle zum Dichter Muße, und warme Luft und Glückseligkeit des Herzens, das tief auf den kalten Nesseln seines Schicksals und halb in Schlamm versunken liege, und sich nur mit Verzweiflung emporarbeiten könne; er murre darüber nicht, weil er sich das Alles selbst zugezogen. Blickt man in seine Werke hinein, so entdeckt man kaum in seinen prosaischen Erzählungen, namentlich wo er im Landprediger (1777) Lebensscenen aus dem Hause seines Schlosser kopirt, die Gabe der geordneten Darstellung und treuen Auffassung der Dinge. In seinen dramatischen Versuchen ist er ganz zügellos und wild, und moralisch und ästhetisch gleich ungenießbar. Man lese nur den Engländer (1777), wie grell da die Freigeisterei und die geile Wollust dichtet, »die den Himmel Preis gibt für Armiden.« Dieß sind so oft die Musen jener jungen Männer gewesen, die Wielanden »wegen seiner Jugendsünden« liebten; und Niemand war diesem Geschlecht gegenüber köstlicher als eben Wieland: er pflegte diesen Sklaven der Sinnlichkeit die That seines Combabus anzurathen. Alle vollendeten Stücke von Lenz sind eine Art schauderhafter Comödien, gemischt von tragischen, grassen und lustigen Situationen. Im neuen Menoza (1774) ist Miene gemacht, die Geschwisterehe im milden Licht zu zeigen; weniger auffallend ist das Thema, und weniger verzerrt sind die Charaktere in: die Freunde machen den Philosophen (1776). Die Soldaten (1776) sind doch wenigstens noch im Ausgang tragisch; ein Wachtstubenleben so ekel als möglich stellt sich in dem verrückten Stücke dar, das Tieck ein markiges Gemälde nannte, und dessen Hauptgedanken er darin ergreifend und überzeugend ausgeführt fand, daß nämlich Mädchen als Menschenopfer dem Staat dargebracht werden müssen, um die großen Heere und deren Ehelosigkeit möglich zu machen! In dem Hofmeister (1774) vergehen sich Held und Heldin auf verschiedene Weise; Sie bekommt von ihrem Hofmeister ein Kind, während Er auf der Universität sie vernachlässigt; es sind aber zwei treffliche

Leute, und der Junge Philosoph genug, die Verlassene doch zu heirathen; der Hofmeister flüchtet indeß, schulmeistert, kastrirt sich, heirathet aber auch noch ein unschuldiges Bauernmädchen, Alles, damit es ein Lustspiel gibt. Eine Reihe didaktischer Stellen über die Hofmeisterei nimmt sich dazu ganz sonderbar in dieser Composition aus. Und diese Stücke wurden damals aufgeführt, regellos, unverständig, wüst wie sie waren! Aber man denke auch, wie lange man sich über elenden Farcen und französischen Uebersetzungen gelangweilt hatte! Hier gab es doch etwas zu sehen, heftige Explosionen, ganz ungewöhnliche Scenen, gewaltsame Erschütterungen! wie viel mehr mußte dieß reizen, als jene schleppenden Declamatorien! wie viel ansprechender waren diese lebendigen Accente und einzelnen Naturlaute, die hier allerdings nicht fehlen, gegen jene steifen Moralsentenzen, und jene gezirkelte Complimentirpoesie, gegen die nun Alles Feuer und Flamme war.

In: Neuere Geschichte der poetischen National-Literatur der Deutschen. 1. Theil: Von Gottscheds Zeiten bis zu Göthes Jugend. Leipzig 1840, S. 381–383.

7. Julian Schmidt: Über Georg Büchners *Lenz*

Der mephistophelische Witz ist das charakteristische Kennzeichen des Dichters, zu dem wir jetzt übergehen, der in der Tendenz Grabbe sehr nahe kommt, der aber an Talent, so weit wir es nach seiner kurzen Laufbahn ermessen können, ihm bedeutend überlegen ist: *Georg Büchner*. Im Jahr 1835 erschien von dem noch unbekannten Dichter ein Trauerspiel: Danton's Tod. Gutzkow führte es durch eine günstige Recension ein, und das junge Deutschland wetteiferte, in Büchner den Propheten einer neuen Zeit zu verkünden. Der frühzeitige Tod Büchner's in Zürich, im Februar 1837, in Folge eines Nervenfiebers, schnitt diese Hoffnungen ab. Er war erst 24 Jahr alt, und hatte sich eben in Zürich als Privatdocent der Naturwissenschaften habilitirt, nachdem zwei Jahre vorher seine Studien in Gießen durch demagogische Versuche und Hindernisse unterbrochen waren.

Außer »*Danton's Tod*« enthält die Sammlung seiner Werke das Lustspiel *Leonce und Lena*, ein Novellenfragment und verschiedene Briefe. Das Novellenfragment behandelt das Schicksal des unglücklichen Dichters *Lenz*, des Jugendfreundes von Goethe, auf welchen Tieck einige Jahre vorher (1828) durch die Ausgabe seiner dramatischen Schriften das Publikum aufmerksam gemacht hatte. Büchner ehrte in ihm den Geistesverwandten. Das Fragment – wenn es anders so genannt werden kann, da es eigentlich eine vollständig abgeschlossene Erzählung enthält, beginnt mit einer Fußpartie, auf welcher der Dichter schon fast ganz wahnsinnig ist, und schließt mit dem vollen Wahnsinn. Wir setzen den Anfang her.

Am 20. ging Lenz durch's Gebirg. Die Gipfel und hohen Bergflächen im Schnee, die Thäler hinunter grünes Gestein, grüne Flächen, Felsen und Tannen. Es war naßkalt, das Wasser rieselte die Felsen hinunter und sprang über den Weg. Die Aeste der Tannen hingen schwer herab in die feuchte Luft. Am Himmel zogen grüne Wolken, aber Alles so dicht, und dann dampfte der Nebel herauf und strich schwer und feucht durch das Gesträuch, so kurz, so plump. Er ging gleichgültig weiter, es lag ihm nichts am Weg, bald auf- bald abwärts. Müdigkeit spürte er keine, *nur war es ihm manchmal unangenehm, daß er nicht auf dem Kopfe gehen konnte.* Anfangs drängte es ihm in der Brust, wenn das Gestein so wegsprang, der grüne Wald sich unter ihm schüttelte, und der Nebel die Formen bald verschlang, bald die gewaltigen Glieder halb enthüllte; es drängte in ihm, er suchte nach etwas, wie nach verlornen Träumen, aber er fand nichts u. s. w.

Wenn das schon auf der ersten Seite so geht, so kann man sich vorstellen, wie bei gesteigertem Fieber die Empfindungen und Einfälle in buntem Wechsel sich drängen. Ueberhaupt ist wohl jeder Versuch, den Wahnsinn darzustellen, wenn er etwas mehr sein soll, als das deutlich erkannte Resultat eines tragischen Schicksals, eine unkünstlerische Aufgabe, denn die Willkür der Erfindung hat einen unermeßlichen Spielraum, sie kann nie fehl gehen, weil es für den Widersinn kein Maß giebt; sie bringt es aber auch nie zur Totalität, denn die hervorzurufenden Stimmungen contrastiren so gewaltsam mit einander, daß ein lebendiger Eindruck nicht möglich ist. Ueber das Widersinnige müssen wir lachen, und doch schaudert es uns vor diesem unheimlichen Selbstverlust des Geistes. Am schlimmsten ist es, wenn sich der Dichter so in die zerrissene Seele seines Gegenstandes versetzt, daß sich ihm selber die Welt im Fiebertraum dreht. Das ist hier der Fall. Es hängt das mit einer falschen ästhetischen Ansicht zusammen, die wir nicht genug bekämpfen können.

»Die höchste Aufgabe des Dichters, sagt Büchner in einer Selbstrecension, ist, der Geschichte, wie sie sich wirklich begeben, so nahe als möglich zu kommen. Sein Buch darf weder sittlicher noch unsittlicher sein, als die Geschichte selbst .... Der Dichter ist kein Lehrer der Moral, er erfindet und schafft Gestalten, er macht vergangene Zeiten wieder aufleben, und die Leute mögen dann daraus lernen, so gut wie aus dem Studium der Geschichte und der Beobachtung dessen, was im menschlichen Leben um sie herum vorgeht .... Sonst müßte man über einen Gott Zeter schreien, der eine Welt erschaffen, worauf so viele Liederlichkeiten vorfallen. Wenn man mir sagen wollte, der Dichter müsse die Welt nicht zeigen wie sie ist, sondern wie sie sein sollte, so antworte ich, daß ich es nicht besser machen will, als der liebe Gott, der die Welt gewiß gemacht hat, wie sie sein soll. Was die sogenannten Idealdichter anbetrifft, so finde ich, daß sie fast nichts als Marionetten mit himmelblauen Nasen und affectirtem Pathos, aber nicht Menschen von Fleisch und Blut gegeben haben, deren Leid und Freude mich mitempfindend macht, und deren Thun und Handeln mir Abscheu oder Bewunderung einflößt. Mit einem Wort, ich halte viel auf Goethe und Shakspeare, aber sehr wenig auf Schiller.«

Der Einwand, daß Gott doch wohl gewußt haben müsse, was er schuf, reicht nicht aus, denn für Gott ist die Welt Totalität, in der ein Unvollkommenes das andere ergänzt. Der Dichter aber, der nur ein Fragment der Welt darstellt, kann sich mit dem Unvollkommenen der Empirie nicht begnügen. Wenn die Dichtung ein Duplicat des Wirklichen gäbe, so wüßte man nicht, wozu sie da wäre. Sie soll erheben, erschüttern, ergötzen; das kann sie nur durch Ideale. Freilich leisten Marionetten mit himmelblauen Nasen diese Wirkung nicht; darum eben sind sie keine Ideale. Das bloße Wirkliche, die gemeine Empirie, ist zu elend, um die

Seele dauernd zu erregen. – Uebrigens ist dem Dichter auch nicht möglich, einen bloßen Abklatsch des Wirklichen zu geben; er muß idealisiren, er mag wollen oder nicht, und wenn er nicht nach der göttlichen Seite hin idealisirt, so idealisirt er nach der teuflischen, wie die ganze neue Romantik.

Wenn auch Büchner über Lenz die gewissenhaftesten Studien gemacht hat, um in der Schilderung seines Wahnsinns so naturgetreu als möglich zu sein, so ist dieses Studium doch nur Nebensache; Lenz ist ihm nicht blos Gegenstand, sondern ein Spiegelbild der eignen Stimmung, welche zugleich die der Zeit war. Die stofflose Traurigkeit der damaligen Poesie, jenes zitternde Behagen an dem absoluten Nichts, das sich träumerisch in die Nachtseiten der Natur vertiefte, um in dem süßen Schauder der allgemeinen Auflösung das quälende Gefühl eines zwecklosen Daseins zu verbergen, verleiht jener seltsamen Dichtung die durchsichtige Blässe und das hektische Roth, das nicht ohne einen gewissen Reiz ist. Mit der Schärfe eines krankhaft erregten Nervensystems ist die Reihenfolge der Seelenzustände in Rapport zu den entsprechenden Stimmungen der Natur gesetzt, und wir müssen das Talent, welches an einen unglückseligen Gegenstand verschwendet ist, im höchsten Grade anerkennen.

In: Julian Schmidt: Geschichte der deutschen Nationalliteratur im neunzehnten Jahrhundert. 2. Band. Leipzig 1853, S. 213–215.

8. Paul Landau: Georg Büchners Leben und Werke
   [Über *Lenz*]

Es ist etwas Seltsames um den Stil des Büchnerschen Lenz! Er bringt etwas ganz Neues in die deutsche Dichtung, schafft der Sprache ein feines und kompliziertes Instrument, um Seelenstimmungen wiederzugeben, das erst eine viel spätere Generation in voller Meisterschaft handhaben lernte. Es ist ein nervöser, unruhig suggestiver Rhythmus darin, eine impressionistisch scharfe Anschaulichkeit, die dann von den Meistern der modernen Dichtung, von Flaubert und Jens Peter Jacobsen, wieder erreicht und in die Poesie eingeführt wurde. Vielleicht läßt sich das

Rätsel dieses packenden, hastigen, die seelische Stimmung momentan ausdrückenden Stils zum Teil dadurch erklären, daß er bereits in Oberlins abgerissener Art, in seinem naiven Sprechton vorgebildet war. Aber wenn wir diese Vorstufe, von der Büchners Sprachkunst deutlich ausging, in ihrer harmlosen Einfalt vor uns sehen, erscheint uns die Geburt des modernen Sprachstils im Lenz noch wundersamer.

Man hat gesagt, daß diese Sätze in ihrem inneren Ton und Takt so klingen, als ob sie heut geschrieben wären; die ersten Impressionisten unserer deutschen Literatur, Bahr, Hauptmann, haben sich direkt daran angeschlossen. Ein ganz originaler Klang tönt herauf aus den Tiefen des Gemüts. Diese kurzen, abrupt nebeneinander gestellten Hauptsätze, diese sparsam akzentuierten Verben, diese vorüberfliegenden, rasch wechselnden Bilder, die ganze leidenschaftliche Unruhe, die plötzlichen Ausrufe, die hervorgestoßenen Fragen und Antworten, die ans Satzende gestellten, bang und ängstlich klopfenden Adjektive, all das malt unübertrefflich die Disharmonien eines zerwühlten, rastlos fortgetriebenen, zitternd erregten Gemütes und gibt zugleich das anschaulichste Bild innerer Vorgänge. Und als ein schönheitsvoller, weicher, milder Kontrast rauscht dann die Melodik der Naturbilder herein, der heimliche Gesang der Wälder und Wolken, auch noch in Sturm und Tosen wohltönend und majestätisch, wie ein Wiegenlied das fiebernde Menschenherz umklingend. In dieser Kunst der Seelen- und Landschaftsschilderung ist jede Erinnerung an die Quelle ausgelöscht; vergessen ist vor dieser überwältigenden Macht der Beseelung jeder Gedanke an Oberlin; hoch über den wackern Chronisten erhebt sich die Darstellung in die reinen ewigen Sphären hoher Kunst.

Wenn Büchner für die Formung seines Stils von jemandem gelernt hat, so hat er nur von Lenz selbst gelernt. In den Briefen an Salzmann, die soviel von religiösen Dingen sprechen und die August Stoeber im Stuttgarter Morgenblatt 1831 veröffentlicht hatte, waren solche Töne zerquälter Selbstbeobachtung zu vernehmen, noch stärker in den rührenden Briefen des schon in seinem Denken getrübten Lenz an Sarazin, die sich in Tiecks Ausgabe befinden. Lenzens Prosastil, in seinen Romanversuchen *Der Landprediger*, *Der Waldbruder*, hat etwas Fahriges,

Abgerissenes, auch schon »Impressionistisches«. Die Ereignisse folgen rasch, unvermittelt; die Sätze überhasten und verwirren sich; Gespräche werden ohne jede Einführung begonnen und in hastigem Tempo geführt. Dadurch erhalten seine Schilderungen etwas sehr Lebendiges, aber auch Unklares, Launisch-Zufälliges. Ob er ein ruhiges Idyll schildert oder eine schnelle Schlittenfahrt, einen behäbigen Geistlichen oder einen halbverrückten Einsiedler, stets ist es die gleiche kapriziöse Spiegelung seines sprunghaften, eigenwillig sensiblen Naturells. Büchner bedient sich dieses Hilfsmittels eilig flüchtiger Satzrhythmik, das aus Lenzens Schriften in leichten Schwingungen und Schwebungen in ihm lebt, bewußt zur Charakteristik seines Helden, verwendet als reifer Künstler die überstürzt nervöse Steigerung und die aufflackernde Glut exakt gesehener Augenblicksbilder. So hat er erst diesen im Sturm und Drang und in der Romantik hie und da auftauchenden Stil mit überlegter Kunst zur Meisterschaft ausgebildet. Er schuf sich damit zugleich erst die Dichtungsform, um die Psychologie einer bis zum Wahnsinn zerrissenen Seele auszudrücken.

Den Wahnsinnigen hat die Romantik oft dargestellt. Das große Vorbild hatte schon Goethes Werther gegeben in der tragisch auftauchenden, unheimlich vordeutenden Gestalt des Schreibers, der aus unglücklicher Liebe zu Lotte verrückt geworden. Dieser mitten im Winter Blumen suchende Unglückliche erscheint als die traurige Vollendung jenes Schicksals, das Werther mit selbstquälerischer Wollust auf sich selbst eindringen sieht. Lenz hatte im Werther die Sympathie einer verwandten Seele genossen, im *Waldbruder* gleichgestimmte Töne der Seelenmalerei angeschlagen: er war ein Opfer jener überschwenglich fühlenden, in einen ewigen Zwiespalt des Empfindens verstrickten Epoche, deren Symbol der Werther ist. Goethe hat ihn so in Dichtung und Wahrheit aufgefaßt und Büchner die Schilderung seiner äußeren knabenhaften Erscheinung in Einzelheiten benützt. So stand denn auch für Büchner Goethes vielbeweinter Schatten ganz in der Nähe seines Helden; ein leiser Hauch seines zärtlichen Naturgefühls, seiner leidenschaftlichen seelischen Bekenntnisse strömte über in die Dichtung. Doch viel lebendiger waren unterdessen solch pathologische Erscheinungen vor das Dichterauge getreten.

Keiner hatte stärker mit diesen betäubenden Giften des entarteten Gefühls gespielt als der junge Tieck. Er glaubte sich dem Wahnsinn nahe, der Gedanke des Selbstmordes drängte sich ihm auf; Zustände der verzweifeltsten Aufregung wechselten mit Zuständen bewußtloser Versunkenheit. Erschütternde Abbilder dieser geistigen Verdüsterung bieten einige der früheren Werke, vor allem der *William Lovell*; aber wie gequält und absichtlich wirkt hier der Spuk krankhafter Vorstellungen, wie unfähig ist dieser Dichter, den Wahnbildern eines gestörten Hirns Anschaulichkeit zu leihen! Die Mittel der Sprache und der Beobachtung waren noch nicht reif zu solcher Darstellung. Der längst zu ruhiger historischer Betrachtung gelangte, gealterte Tieck hat Bilder religiöser Wahnideen, diesmal auf geschichtlicher Grundlage, in seiner Meisternovelle *Der Aufruhr in den Cevennen* dargestellt. Diese Erzählung war ein Lieblingsbuch Büchners; er las sie mit der Braut zusammen, er hielt sie für ein Muster ihrer Gattung. Aber auf den Stil des *Lenz* konnte ihr behaglich breiter, ästhetisch wohlgerundeter Erzählerton kaum von Einfluß sein. Nur die Analyse, die der Held Eduard von seinen Empfindungen unter den fanatischen kamisardischen Religionsschwärmern gibt, sucht ein religiös aufgewühltes Seelenbild viel matter zu malen und in einigen leidenschaftlich erregten Szenerien hat schon Tiecks pathetische Naturmystik etwas von Büchners Naturbeseelung.

Das langsame Hinstreben und das plötzliche ekstatische Ueberschlagen von Stimmungen, bis zum ausbrechenden Wahnsinn hin, ist wohl nirgends vor Büchner genialer dargestellt worden als in einigen Gestalten Jean Pauls, deren Innenleben sich bis ins Grenzenlose selbst übersteigert. Schoppe im *Titan* ist solch ein in der Wollust des Denkens toll gewordener Uebermensch, und unvergeßlich waren dem eifrigen Jean Paul-Leser die grotesk phantastischen Szenen im Irrenhaus und die in ein träumerisches Helldunkel getauchte Gewitterabend-Stimmung, in der der geistesgestörte Schoppe dem Schutz Albanos entspringt. Der eigentliche Schilderer des Wahnsinns in der Romantik wurde aber E. T. A. Hoffmann, so viele andere Poeten sich auch noch sonst an den »Nachtseiten der Seele« versuchten.

Seine dichterischen Figuren bieten eine einzige Galerie von seelisch abnormen Charakteren. In einem feinen Buch hat der Irrenarzt Otto Klinke die Bedeutung von Hoffmanns Schilderungen für die Psychiatrie dargelegt. Die kompliziertesten Geistesstörungen sind scharf beobachtet und nach eigener Anschauung dargestellt, denn Hoffmann machte seine Studien im Bamberger Irrenhaus. Das exakteste Krankheitsbild bietet sich in den Träumen, Zwangsvorstellungen, Wahnideen und Halluzinationen seiner Personen. Die innere Unruhe, die drängende Angst, die visionäre Phantasie, die Wut der Tobsuchtsanfälle sind in einer fragmentarisch abgerissenen, chaotisch wirren und doch sehr bewußten, fein beherrschten Form gestaltet. Büchner hat in den gespenstischen Erscheinungen des Callot-Hoffmann eigenes Seelenleben gespiegelt gefunden. Das langsame Entstehen des religiös betonten Wahnsinns in dem Pater Medardus der *Elixiere des Teufels* und die Gestalt des genial verwirrten Kreißler, des wahnsinnigen Musikers, der in seinen lichten Stunden das Wesen der Kunst so tiefsinnig erklärt, boten ihm die stärksten Anregungen für die pathologische Schilderung des Lenz.

Und doch ist ein großer Unterschied in der künstlerischen Behandlung dieser Motive bei Hoffmann und Büchner. Dem konsequenten Romantiker wird die Welt des Wahnsinnigen zur Wirklichkeit; er schildert die Erscheinungen, wie sie subjektiv in dem Zerrspiegel des erkrankten Hirns sich formen; seine abnormen Menschen leben in einer ebenso abnormen Umgebung und wir werden mit ihnen unwiderstehlich hineingezogen in das bizarre Reich des Märchens, des Wunders, der bunten Phantastik. Büchner, der Realist, gibt eine objektive Darstellung des Seelenzustandes; indem er den Geisteskranken in die ewig harmonische Natur stellt, entgeht er der Versuchung, auch die Umwelt gleichsam wahnsinnig werden zu lassen, wie dies bei Hoffmann bisweilen der Fall ist. Er gewinnt so ein ganz neues, in der deutschen Dichtung noch kaum gekanntes, grandioses Bild: den Wahnsinnigen in der Natur. Der Dichter der *Serapionsbrüder* hat eine derartige Verbindung nicht in seinen Dichtungen durchgeführt; bei Jean Paul wird der Kranke zur Staffage der Landschaft, verschwindet in dem schwärmerischen Rausch der Naturhymnen. Büchner gelang zum ersten Mal die dichterische Verknüpfung einer leidend erregten Seele mit der sie umgeben-

den Natur. Indem er aus eigenem Erleben schöpfte, sein Seelen-
studium mit seinem Naturgefühl verschmolz, schuf er eine eigene Stimmung, eine Schönheit, wie sie keiner seiner Vorgänger
gesehen und gefühlt.

In Gießen war Büchner selbst dem Wahnwitz nahe gewesen; in
den Briefen an die Braut aus dieser Zeit klingen die ersten Lenz-
Töne an. »Die Finsternis wogte über mir, mein Herz schwoll in
unendlicher Sehnsucht, es drangen Sterne durch das Dunkel,
und Hände und Lippen bückten sich nieder.« Die Wachträume
verdichten sich zur Vision. Sein Herz stöhnt auf im Anblick der
Natur, des Frühlings: »Ein einziger, forthallender Ton aus tausend Lerchenkehlen schlägt durch die brütende Sommerluft, ein
schweres Gewölk wandelt über die Erde, der tiefbrausende
Wind klingt wie ein melodischer Schritt.« Diese Intensität eines
vermenschlichenden und doch zugleich die Seele dem All preis-
gebenden Naturbetrachtens erhebt sich in einem späteren Brief
zum höchsten Ausdruck des Schmerzes, den die in der Romantik
zuerst zu beobachtende Frühlingsschwermut in ihm auslöst. So
herrscht in ihm eine beständige starke Beziehung zwischen Seele
und Natur. Wie Lenz von jener Zeitkrankheit des »Wertheris-
mus« ergriffen wurde, die mit sich selbst umging »wie mit einem
kranken Kind«, so war Büchner damals einer ähnlichen kranken
Seelenstimmung verfallen, die aus der Romantik entstanden war
und die man wohl »Byronismus« genannt hat. Die psychischen
Erscheinungen einer »Schwelgerei des Daseins«, einer »maßlo-
sen Temperatur der Seele«, denen in der Romantik Clemens
Brentano, Graf Loeben, der Physiker Winkelmann und so
manch anderes Opfer der befreiten Schwarmgeister erlegen waren, spukten auch noch in dem späteren Geschlechte fort.

In: Georg Büchners *Gesammelte Schriften* in zwei Bänden. Heraus-
gegeben von Paul Landau. 1. Band. Berlin 1909, S. 109–114.

9. Arnold Zweig: Versuch über Georg Büchner
[Auszüge zu *Lenz*]

Auch *Lenz* ist eine ganz unproblematische Produktion: die Form gibt weder dem Dichter Rätsel auf, noch dem Leser. Ein Mensch wird wahnsinnig, punktum; und das wird erzählt. Daß Büchner mit dieser Meisterschaft nicht allein steht, ist bekannt. Seit den Dichtern der Märchen- und Volksbücher verstehen die Deutschen meisterhaft das Erzählen einer in sich geschlossenen Begebenheit, ein so endgültiges Erzählen vom wahren Anfang zum wahren Ende, daß ein kleines Bild des Weltlaufs sich ergibt, Einblicke ins Wesen des Menschen sich öffnen, und der weiser wird, der zuzuhören weiß. Was Büchner aber ganz für sich hat, ist die unvergleichliche Sachlichkeit des Berichts – eine Sachlichkeit ohne Goethes Kühle, ohne die wilde Verknotung der Sätze und Ereignisse Kleists, ohne das allweise Goldlicht Kellers, ohne Stifters hymnisch durchzitterte Ruhe; eine Sachlichkeit des Schicksalszeugen vielmehr, der an einem besonders wertvollen und von ihm geliebten Menschen, an einem Stellvertreter und Dichter-Kameraden zeigt, wie grausam vor Kurzsichtigkeit die Menschen dem Schicksal in die Hände arbeiten; wie der Empfindliche auch von den Wohlwollendsten verlassen wird: dadurch, daß sie ihm wohlwollen ... Lenz, hellsichtig, fühlt genau, wessen er bedarf, um zu gesunden: des stillen Tals, der sich selbst ins Gleichgewicht setzenden Seelenruhe. Kaufmann und Oberlin aber wissen es besser: der Sohn muß zu seinem Vater; der Vater bedarf seiner. Und mit der bloßen Aufstellung dieser seiner »Pflicht« ist Lenz geliefert; zu krank zu innerem Widerstand, noch gesund genug, um zu bewirken, daß das bloße in ihn geworfene Wort ihn besiegt, muß er es in sich fortarbeiten lassen, nachdem es einmal ihm ins Ohr geträufelt worden ist wie Gift dem alten Hamlet – er muß »von selber« fortwollen. So wirken Worte. So spielt das Schicksal sein Schach: es stellt zur rechten Minute wie einen Springer diesen Freund Kaufmann in die Zugfolge und setzt Lenz matt, gesetzmäßig, ohne Anstrengung.

Mit so wundervollem Wissen hat Büchner das typische Problem des jungen Menschen neurotischer Kategorie aufgenommen: die Angst vor dem »Zuhause«, der er selbst nie unterlag; ein Problem gestaltet, das ihn selbst nie bedrohte. Wäre uns das nicht durch seine Briefe und andere Zeugnisse belegt, wir sähn es aus der nebensächlichen, nur anstoßartigen Verwendung dieses Motivs ganz klar. Nicht hier ziehn sich die Adern, die Büchner und seinen Helden verbinden. *Lenz* blieb Fragment; nichts endgültiges also ist über Dinge auszusagen, die sich nur aus der fertigen Komposition ergäben. Wir wissen nicht einmal, wie er die Handlung geführt und gerundet hätte; auf eine Möglichkeit hinzudeuten sei uns erlaubt, mit der wir den Nerv der Novelle zu treffen glauben. In Lenz' armer Seele ruht ein Schuldgefühl gegen ein Mädchen, das ihm unendlich teuer ist; geweckt mit dem anderen Dämon, der »nach Hause müssen« heißt, beginnt es zu wuchern und gegen das ohnehin schwache scherbige Gefäß, das morsche Bewußtsein zu pressen. Ein Traum bringt ihm die Gestalt seiner Mutter herbei, mit allen Emblemen der Ankündigung, sie sei gestorben. Seit langem in religiöser Aufregung, bittet er Gott, er möge ein Zeichen an ihm tun, ihn wieder mit alter Empfindungsfähigkeit beseelen; er fühlt sich innerlich ganz tot. Und nun, während in ihm die Ängste um das Mädchen und die Mutter wühlen, stirbt im Nachbardorf ein Kind, das Friederike heißt – Friederike wie seine verlassene Freundin, die »noch einen andern liebte«. Man weiß aus der Literaturgeschichte, wer dieser andere und wer Friederike ist. Lenz nun fühlt sich bei diesem Todesfall im Zentrum seiner Ängste elektrisch getroffen; er zieht aus, seine Schuld zu sühnen, alles was ihm erstorben ist mit diesem Kinde wieder zu beleben. Aber sein »Stehe auf und wandle« hat über die Leiche keine Macht. Hinein in seinen furchtbaren Zusammenbruch bringt Oberlin Nachrichten aus dem Elsaß; in seine Mahnungen, zu den Eltern zurückzukehren, setzt Lenz Fragen nach seiner Freundin. Das tote Kind, Friederike, die Mutter fließen für ihn in eine Person zusammen, deren Mörder er ist; und nun beherrscht dieser Name die Ausbrüche seiner nächsten Nächte – »sein Winseln, mit hohler, fürchterlicher, verzweifelter Stimme«. Immer weiter zieht sich die Außenwelt von ihm zurück; er versucht des öfteren sich zu töten, und wird am Ende von zwei Begleitern fortgebracht, um nach Norden, nach Hause zu reisen. Sie kommen in Straßburg an – hier bricht das Fragment ab. Sollte nun eine Begegnung mit der lebenden

Friederike Brion folgen? Lenz, schon allzu weit entrückt, sie nicht mehr erkennen, und sich, die Geliebte vor Augen, weiter des Mordes an ihr anklagen? Wir sehen nur, daß damit eine tief symbolische Situation gestaltet wäre, freilich von *Hamlet* und *Lear* her vorgebildet, aber mit neuer Notwendigkeit beladen: Dichter und Wirklichkeit auf ewig voneinander geschieden ... Wie dem immer sei: die zentrale Angelegenheit der Novelle wäre damit zu Ende geführt. Denn mit Lenz gibt Büchner einen Dichter als Gestalt; indem er ihn wahnsinnig werden läßt, deckt er zugleich überzeugend das Wesen dieser besonderen Menschenart »Dichter« auf, auch wenn er Müller hieße, wäre der Held dieser Novelle als Dichter legitimiert. Wenn E. T. A. Hoffmann Wahnsinn dichtet, wie zittert und wankt da unter dem elementaren Ansturm eines drohenden umnachtenden Schicksals alles: der Held, der Dichter und seine Sätze. Das nachthaft Fürchterliche solchen Bedrohtseins, dem der gebrechliche Mensch ausgesetzt, gibt der Gestaltung ihren Ton. Und wenn Tieck oder Eichendorff Dichter schildern, ist um sie die liebenswürdige und etwas oberflächliche Träumerei, die der verwunderte Bürger dem Dichter andichtet, halb Schwind, halb Spitzweg, und ebenso schönfarbig gekonnt wie die besten Bilder dieser Maler in der Schackgalerie. Büchner aber, von Bedrohtsein und Traumseligkeit gleich entfernt, gibt unaufhaltsam, in nervös bebendem Tempo, die Sache selbst. Nach den ersten Sätzen ist alles da: hier ist ein Dichter; er wird wahnsinnig: »Müdigkeit spürte er keine, nur war es ihm manchmal unangenehm, daß er nicht auf dem Kopf gehn konnte.« Mit diesem Satze beginnt die moderne europäische Prosa; kein Franzose und kein Russe legt moderner einen seelischen Sachverhalt offen hin. Und Büchner vollzieht hier als Gestalter das, was er seinen Lenz in einer wundervoll unauffällig an den rechten Ort gestellten kritischen Forderung ideell entwickeln läßt – nicht abrupt, sondern ganz allmählich, nach tief ins Wesen schneidenden Betrachtungen über die Wirkung von Formen, Elementen, Gesteinen, Metallen auf die ahnend-wissende Seele des Dichters. Mit Aussagen solcher Art gibt sich der Dichter zu erkennen; und spricht er nun über seine Kunst, so hat er sich bereits so sehr als in ihr lebendig erwiesen, daß die Theorie und Forderung nur wie das Aussprechen des eigenen Seins wirkt: natürlich und unauffällig. »Ich verlange in allem – Leben, Möglichkeit des Daseins, und dann ist's gut; wir haben dann nicht zu fragen, ob es schön, ob es häßlich ist. Das Gefühl, daß, was geschaffen sei, Leben habe, stehe über diesen beiden und sei das einzige Kriterium in Kunstsachen.« Mit welcher genialen Weisheit hier die indirekte Rede des zweiten Satzes die Lebendigkeit des ersten unterstützt, indem sie dem Ganzen jeden fernsten Anflug von »Proklamation« nimmt, fühle man nur einmal; wer merkt diesen Sätzen und der ganzen Stelle an, daß hier Büchner selber spricht, daß ihm vielleicht im Fortgang der Niederschrift diese Sätze zum wichtigsten Teil der Produktion wurden, zum lyrischen Verbindungsglied zwischen dem Lenz aus Oberlins Papieren, die seiner Schilderung zugrunde liegen, und dem beseelenden Dichter? Jedenfalls sind sie der Extrakt eines Kunst- und Weltgefühles, dem wir sein ganzes Œuvre verdanken, von dem es lebt und das es in Vollkommenheit verwirklicht.

In: Arnold Zweig: Ausgewählte Werke in Einzelausgaben. Band XV. Essays. Erster Band. Literatur und Theater. Aufbau Verlag, Berlin und Weimar 1959, S. 185–189.

10. Wilhelm Mayer: Zum Problem des Dichters Lenz

Die Pathographie von *R. Weichbrodt* »Der Dichter Lenz« in dieser Zeitschrift, die den guten Beweis bringt, dass es sich bei der Erkrankung jenes Dichters um eine Katatonie handelt, vergass darauf hinzuweisen, dass wir für den Beginn des schizophrenen Prozesses bei Lenz eine dichterische Darstellung haben, die unbedingt erwähnt werden muss. Es ist die *Büchner*'sche Novelle Lenz, die Arbeit jenes ihm verwandten, späteren, allerdings viel stärkeren, erst im letzten Dezennium seiner ganzen Bedeutung nach genügend gewürdigten Dichters. Der einsame, unverstandene Poet beschäftigte sich kurz vor seinem Ende mit Lenz, mit der Psychologie des werdenden Wahnsinns. *W. Hausenstein*, der die Büchner-Ausgabe des Insel-Verlags mit einer ausserordentlich guten Einführung und einer erstaunlichen Einfühlungsfähigkeit herausgab, nennt den Lenz mit bestem Recht ein unvergleichliches Stück deutscher Prosakunst, die phrasenloseste Dichtung vom Irrsinn, die sich vorstellen lässt, beinahe ärztliche Journalnotizen und dabei vollkommene Form.

Schilder hat gelegentlich seiner Notizen über *Friedrich Huch*'s »Mao« einiges gesagt, was mir bei der wiederholten Lektüre des Büchnerschen Lenz ins Gedächtnis kam. Wir müssen, meinte er, unserer Wissenschaft wegen den Schöpfungen der Dichtkunst Aufmerksamkeit schenken, suchend, wo wir psychische Zusammenhänge von Belang überzeugend dargestellt finden. Wir müssen dann unsere Theorien an diesen Gebilden messen, nicht aber an das Werk mit der Frage herantreten, ob es den Begriffen unserer heutigen Psychiatrie entspricht. In Mao, einer schizophrenen »Krankengeschichte« erleben wir unmittelbar den Widerstreit des Lebens in der Phantasie mit dem des Tages. Es gibt, meint *Schilder*, keinen eindringlicheren Beweis dafür, dass gewisse Formen und Zustandsbilder der Schizophrenie dem nachfühlenden Verständnis zugänglich sind.

Da *Büchner* sich mit dem Problem Lenz beschäftigte, war er selbst vereinsamt, zerrüttet. Vielleicht sass in ihm ein Stück der Qual, die er bei Lenz schildert. Sehr viel wissen wir darüber nicht. *Oberlin*'s Notizen, die der Pathograph Lenzen's fast ganz anführt und die ausserordentlich anschaulich sind, hat er wohl besessen. Es ist erstaunlich, in welch hohem Masse dieser grosse Dichter sich einzufühlen vermochte in den Mechanismus der beginnenden schizophrenen Veränderung, in all die Angst und Qual des erkrankten Lenz, in die ganze abrupte, sonderbare Affektivität, in den Wechsel von depressiver und normaler Stimmung, in das Gefühl der Veränderung der Umwelt, in die Projektion aller schwerer, depressiver Erlebnisse in die Landschaft, in das Gefühl des Unheimlichen, das Lenz in sich heraufkommen spürte, in die Genese der aufsteigenden religiösen Gefühle, in all die Qual und in die Selbstvorwürfe um die Geliebte, in die plötzliche, aber doch innerlich psychologisch begründete Verwandlung des eben noch ganz depressiven Lenz in den bestimmt auftretenden Helfer, der ein totes Kind erwecken will (Verwandtschaft mit der primitiven Zauberwelt!) und der, als es nicht gelingt, und er an sich zweifelt, »wahnsinnig« wegstürzt. Wie er dann aus allen Qualen heraus abrupter, merkwürdiger in seinen Aeusserungen wird und schliesslich das uns bekannte Bild schizophrener Dissoziation bietet, ist vom Dichter mit einer so unerhörten Einfühlungsfähigkeit geschrieben, dass ich jedem, der sich für das Problem der verständlichen Zusammenhänge innerhalb der schizophrenen Erkrankung interessiert, raten möchte, dieses meisterhafte Stück zu lesen, laut zu lesen, weil es dann noch besser in dem atemlosen Sichfolgen der Sätze und der Worte unheimlich in den Zusammensturz eines Menschen sehen lässt.

Ich wollte hier anlässlich der in diesem Archiv veröffentlichten Lenz-Pathographie auf das Lenz-Fragment *Büchner*'s nur hinweisen. Dieses Stück ist für die Schizophreniefrage ebenso wichtig, wie es gute Selbstschilderungen sind. Es ist zweifellos, dass der schizophrene Prozess Ausdruck hirnanatomischer Veränderungen ist – trotzdem: eine Reihe von Formen von Schizophrenie sind verständlich und hier gewinnt *Büchner*'s Arbeit über den genialischen, zerrissenen, unsteten, in seinem Leben und besonders in seinem Liebesleben enttäuschten Lenz beim Uebergang aus einer allgemein nervösen Sphäre in eine schizophrene Erkrankung Bedeutung.

In: Archiv für Psychiatrie und Nervenkrankheiten 82 (Heft 3), Berlin 1921, S. 889–890.

11. Gerhard Irle: Büchners *Lenz*.
    Eine frühe Schizophreniestudie

Die Geschlossenheit des Bildes einer Schizophrenie, die Genauigkeit der Phänomene, die ganze Schilderung, die den Morbus als Krankheitseinheit plastisch hervortreten läßt, will heute möglicherweise nicht mehr sehr erstaunen, nachdem uns die Symptomatik dessen, was wir als Schizophrenie bezeichnen, seit *Kraeplin* und *E. Bleuler* geläufig ist. Bedenkt man aber, wie tastend die Psychiatrie zur Zeit *Büchners* Krankheitsbilder kategorisieren konnte, so wird es evident, in welch klassischer Weise *Büchner* die Phänomene zu einem Ganzen vereint hat. Alle Ranken, alle subjektiven Zutaten, alle Demonstrationen *Oberlin*s: Seht doch, mit welch schwierigem Patienten ich es zu tun hatte, fallen weg. Die *Büchner*sche Novelle ist in einer distanzierten, kühlen »wissenschaftlichen« Weise geschrieben, die wie eine Chronik einzig das Geschehen heraustreten läßt. Die Phänomene der Geisteskrankheit stellen sich ohne alles Aufmerksamkeit heischende Pathos dar. In den ersten Sätzen, die *Lenz* auf dem Weg durch das Gebirge kennzeichnen, wird mit Gelassenheit beschrieben. »Müdigkeit spürte er keine, nur war es ihm manchmal unangenehm, daß er nicht auf dem Kopf gehen konnte.« Oder wenig später: »Es war ihm alles so klein, so nahe, so naß; er hätte die Erde hinter den Ofen setzen mögen.« Das Ungeheuerliche einer psychischen Krankheit stellt sich in einer Nüchternheit und Sachlichkeit dar wie ein normales Phänomen, die Erwähnung eines Regenschauers beispielsweise. Man denke an alle die ästhetischen Bedenken, die der Gesellschaft, entsprechend aber auch der Psychiatrie, Hindernis genug zu sein schienen, psychiatrischen Themen das Auftauchen in der schönen Literatur zu verwehren. Der Satz, in der Novelle *Lenz* in den Mund gelegt, von dem sich *Büchner* leiten ließ, schneidet das alles ab: »Der liebe Gott hat die Welt wohl gemacht, wie sie sein soll, und wir können wohl nicht was Besseres klecksen; und unser einziges Bestreben soll sein, ihm ein wenig nachzuschaffen. Ich verlange in allem Leben, Möglichkeit des Daseins, und dann ist's gut; wir haben dann nicht zu fragen, ob es schön, ob es häßlich ist.« Dieser wissenschaftliche Zug in der Prosa *Büchner*s, mag man ihn als Vorläufer moderner Bemühungen nehmen, ist ein wesentliches Stilmittel, in dem *Lenz* mit seiner Krankheit deutlich werden kann. Bleibt es dabei wirklich nur ein Bild von außen, wo nicht von innerem Monolog oder gar solchen Kunstgriffen wie *Faulkner*s Zeitverschiebungen die Rede sein kann? Natürlich hat sich *Büchner* nicht einfach mit der Schilderung des Geschehens begnügt, wie *Oberlin* es aufzeichnete. Er läßt innerseelische Phänomene aufleuchten, von denen *Oberlin* nichts weiß, von denen so oder so der Beobachter außen, zumeist auch der Verfasser einer Krankengeschichte, nichts erfahren kann. »Nur manchmal, wenn der Sturm das Gewölk in die Täler warf ... und alle Berggipfel, scharf und fest, weit über das Land hin glänzten und blitzten – riß es ihm in der Brust, er stand keuchend, den Leib vorwärts gebogen, Augen und Mund weit offen, er meinte, er müsse den Sturm in sich ziehen, alles in sich fassen, er dehnte sich aus und lag über der Erde, er wühlte sich in das All hinein, es war eine Lust, die ihm wehe tat ...« Oder wenig später: »Das Biegen seines Fußes tönte wie Donner unter ihm, er mußte sich niedersetzen. Es faßte ihn eine namenlose Angst in diesem Nichts: er war im Leeren!« Oder: »Es war, als ginge ihm was nach und als müsse ihn was Entsetzliches erreichen, etwas, das Menschen nicht ertragen können, als jage der Wahnsinn auf Rossen hinter ihm her.« Es werden also sehr wohl Gedankenstücke, Empfindungen mitgeteilt, die in *Oberlins* Bericht fehlen müssen. So steht bei *Oberlin*: »Ich erfuhr ferner, daß Herr L. nach vorhergegangenem eintägigem Fasten, Bestreichung des Gesichts mit Asche, Begehrung eines alten Sackes, den 3. Hornung ein zu Fonday soeben verstorbenes Kind, das *Friderike* hieß, aufwecken wollte, welches ihm aber fehlgeschlagen.« *Büchner* zeigt mehr. Nach einer Einleitung für diesen Versuch, ein Wunder zu tun, hört man: »Das Kind kam ihm so verlassen vor, und er sich so allein und einsam. Er warf sich über die Leiche nieder. Der Tod erschreckte ihn, ein heftiger Schmerz faßte ihn an: diese Züge, dieses stille Gesicht sollte verwesen – er warf sich nieder; er betete mit allem Jammer der Verzweiflung, daß Gott ein Zeichen an ihm tue und das Kind beleben möchte ...« und dann, nach dem Mißlingen der abrupte Umschlag: »Es war ihm, als könne er eine ungeheure Faust hinauf in den Himmel ballen und Gott herbeireißen und zwischen seinen Wolken schleifen, als könne er die Welt mit den Zähnen zermalmen und sie dem Schöpfer ins Gesicht speien; er schwur, er lästerte.« Am nächsten Tag findet sich eine neue gegenläufige Bewegung: »Am folgenden Tag befiel ihn ein großes Grauen vor seinem gestrigen Zustand. Er stand nun am Abgrund, wo eine wahnsinnige Lust ihn trieb, immer wieder hineinzuschauen und sich diese Qual zu wiederholen. Dann steigerte sich seine Angst, die Sünde wider den heiligen Geist stand vor ihm.«

Immerhin, auch bei *Büchner* sind es nicht so viele Gedankenverknüpfungen, anklingende Reminiszenzen, Gestalten und Bilder, die das Erleben nahebringen. Es bleibt bei kurzen Kennzeichnungen: »*Lenz* huschte ihm (*Oberlin*) nach und, indem er ihn mit unheimlichen Augen ansah: Sehn Sie, jetzt kommt mir doch was ein, wenn ich nur unterscheiden könnte, ob ich träume oder wache; sehn Sie, das ist sehr wichtig, wir wollen es untersuchen – er huschte dann wieder ins Bett.« Oder, gegen Schluß, wo *Oberlin* schon merkt, daß er allein wohl der Pflege und Beaufsichtigung nicht mehr Herr werden kann: »Den folgenden Morgen kam er mit vergnügter Miene auf *Oberlin*s Zimmer. Nachdem sie Verschiedenes gesprochen hatten, sagte er mit ausnehmender Freundlichkeit: ›Liebster Herr Pfarrer, das Frauenzimmer, wovon ich Ihnen sagte, ist gestorben, ja, gestorben – der Engel!‹ – ›Woher wissen Sie das?‹ – ›Hieroglyphen, Hieroglyphen!‹ und dann zum Himmel geschaut und wieder: ›Ja, gestorben – Hieroglyphen!‹ Es war dann nichts weiter aus ihm zu bringen.« Die Charakterisierung der fremden Welt, in der *Lenz* lebt, das gleichzeitige der Realität Verhaftetsein, schließlich das Durchschimmern einer durchaus sinnvollen Gedankenwelt, die einzig anders läuft als die unsere, Motiven folgt, die nicht so rasch durchsichtig werden, die aber doch für den, der aufmerksam ist, nicht des Sinnes entbehren, ist durch *Büchner* in einer Weise geprägt, die in der Geistesverwirrung wohl durchaus Spuren einer Ordnung ahnen läßt. So hat auch *W. Mayer* seinerzeit formuliert: »Wie er dann aus allen Qualen heraus abrupter, merkwürdiger in seinen Äußerungen wird und schließlich das uns bekannte Bild schizophrener Dissoziation bietet, ist vom Dichter mit einer so unerhörten Einfühlungsfähigkeit geschrieben, daß ich jedem, der sich für das Problem der verständlichen Zusammenhänge innerhalb der schizophrenen Erkrankung interessiert, raten möchte, dieses meisterhafte Stück zu lesen ...« Gibt es hier tatsächlich verständliche Zusammenhänge? So leicht scheint es uns nicht gemacht zu sein. *Büchner* leitet die Krankheit nicht vom problematischen Verhältnis *Lenz*ens zu *Friderike Brion* ab, obwohl ihr Name schon in *Oberlin*s Bericht auftaucht. Wäre es *Büchner* um einen verständlichen Zusammenhang gegangen, welche Möglichkeiten der Ausstattung des *Oberlin*schen Berichtes in dieser Richtung hätten sich ergeben. Man wird unterstellen können, daß *Büchner* während seines Straßburger Aufenthaltes auf den Spuren von *Lenz* sehr wohl von den unglücklich endenden Beziehungen *Lenz*ens zu *Friderike* gewußt hat. Er ist nicht dem Kurzschluß erlegen, die Geisteskrankheit als Folge dieses Erlebens darzustellen. Er hat sich auch da distanziert, zurückgehalten, nur dargestellt, daß *Friderike* offenbar eine schmerzliche Rolle im kranken Leben *Lenz*ens spielt. Erst recht nicht hat er die Überlegungen *Oberlin*s zur Genese der *Lenz*schen Krankheit übernommen: »Wenn ich an seiner Seite die Folgen der Prinzipien, die so manche heutigen Modebücher einflößen, die Folge seines Ungehorsams gegen seinen Vater, seiner herausschweifenden Lebensart, seiner unzweckmäßigen Beschäftigung, seines häufigen Umgangs mit Frauenzimmern durchempfinden mußte.« Er hat dargestellt, in welchem Maße es *Lenz* um Ruhe zu tun war, immer wieder kommen dazu Äußerungen. »Er mußte *Oberlin* oft in die Augen sehen, und die mächtige Ruhe, die uns über der ruhenden Natur, im tiefen Wald, in mondhellen, schmelzenden Sommernächten überfällt, schien ihm noch näher in diesem ruhenden Auge ...« oder: »Alles so still, und die Bäume weithin mit schwankenden weißen Federn in der tiefblauen Luft. Es wurde ihm heimlich nach und nach.« Oder wie *Lenz* bei seiner Predigt selbst aufgerichtet wird: »Und es war ihm ein Trost, wenn er über einige müdgeweinte Augen Schlaf und gequälten Herzen Ruhe bringen ... konnte.« Oder schließlich in der Diskussion mit *Oberlin* um übernatürliche Phänomene (für die *Oberlin* ja bemerkenswert aufgeschlossen war): »Wie in den niedrigen Formen (der Natur) alles zurückgedrängter, beschränkter, dafür aber auch die Ruhe in sich größer sei.« Bei all diesem Betonen der Ruhebedürftigkeit *Lenz*ens, seines Hinstrebens nach einem stillen Hafen ist *Büchner* in keiner Weise der Versuchung erlegen, einfach zu konstruieren: unglückliche Liebe in Sesenheim, Enttäuschungen der Welt in Weimar, Entgleisen in die Psychose aus tiefer Sehnsucht nach Ruhe und Vergessen. Gerade an das Ende dieser Predigt: »Er war fester geworden, wie er schloß – da fingen die Stimmen wieder an«, setzt *Büchner* eine neue Exazerbation der Krankheit mit dem nächtlichen Erlebnis der Erscheinung seiner Mutter. Eher fast, könnte man sagen, hat *Büchner* den Ton auf die gestörte Beziehung *Lenz*ens zu seinen Eltern gelegt. *Kaufmann*, der *Lenz* mahnt, nach Hause zurückzukehren, den Vater zu unterstützen, wird angefahren: »Hier weg, weg? Nach Haus? Toll werden dort? Du weißt, ich kann es nirgends aushalten als da herum, in der Gegend ... Laßt mich doch in Ruhe! Nur ein bißchen Ruhe jetzt, wo es mir ein wenig wohl wird! Weg, weg? Ich verstehe das nicht, mit den zwei Worten ist die Welt verhunzt. Jeder hat was nötig; wenn er ruhen kann, was könnt er mehr haben.« Erst recht gegenüber *Oberlin*, der nach seiner Rückkehr von einer Reise in die Schweiz von dem immer auffälliger werdenden Verhalten *Lenz*ens erfahren hatte, kommt die Abneigung, die *Lenz* für seine Eltern empfand, zum Ausdruck: »Über dem Gespräch geriet *Lenz* in heftige Unruhe; er stieß tiefe Seufzer aus, Tränen drangen ihm aus den Augen, er sprach abgebrochen. ›Ja, ich halte es aber nicht aus; wollen Sie mich verstoßen?‹ Am gleichen Nachmittag dann bestürzt er *Oberlin* mit der Forderung, mit Gerten geschlagen zu werden. Aber auch hier versucht *Büchner* nicht, die Störung des Verhältnisses zu sehr zu betonen, wie es möglicherweise uns heute naheliegen würde, erst recht, wenn man aus der Biographie *Lenz*ens etwas näher mit den Charakterzügen des Vaters bekannt wird, der nicht daran dachte, dem geplagten *Schlosser*, dem Schwager *Goethe*s, bei dem *Lenz* in der Zeit, die auf die Wochen dieser Novelle folgen, gepflegt wurde, den Sohn abzunehmen oder auch nur eine Unterstützung für den Unterhalt zu schicken. *Büchner* beschränkt sich auf eine kühle Phänomenologie, aus der die Krankheit, das Leiden, die veränderte Erlebenswelt *Lenz*ens in um so plastischerer Weise deutlich werden. Was verständlich wird, auch in nur kurzen Schilderungen von Gedankenabläufen, ist die Phänomenologie eines Menschen, der über eine Grenze hinausgelangt ist, obwohl er zeitweilig in unsere Welt zurückzukommen scheint. Verständlich wird sein Bemühen, den Hiesigen das Erleben aus der anderen Welt mitzuteilen, es auszusprechen, ihm Bezeichnungen aus der Sprache unseres Erlebens zu geben. Einzig dieses Bemühen, darüber hinaus einzig Bruchstücke von dem, was in *Lenz* vorgeht, werden verständlich, nicht das Ganze, nicht der springende Punkt, von dem alles ausgegangen ist. Aber auch das Miterleben, die Möglichkeit des Sicheinfühlenkönnens, bleiben in der Darstellungsweise *Büchner*s beschränkt. Sicher, wir merken, was für einen subtilen Geist die Krankheit verwirrt, wir spüren heraus, welch ein fremder Vogel er für einen Großteil seiner Umgebung gewesen sein muß, der er so sehr überlegen war. Denken wir nur an die Szene mit dem doch so vortrefflichen und weithin wirkenden Pfarrer *Oberlin*, der sagt, *Lenz* möge sich zu Gott wenden. »Da lachte er und sagte: ›Ja, wenn ich so glücklich wäre wie Sie, einen so behaglichen Zeitvertreib aufzufinden, ja, man könnte sich die Zeit schon so ausfüllen. Alles aus Müßiggang. Denn die meisten beten aus Langeweile, die anderen verlieben sich aus Langeweile, die dritten sind tugendhaft, die vierten lasterhaft und ich gar nichts, gar nichts, ich mag mich nicht einmal umbringen – es ist zu langweilig!‹« Und dann kommt der Vers von *Lenz* gesprochen: »›O Gott! in Deines Lichtes Welle,/In Deines glühnden Mittags Helle,/Sind meine Augen wund gewacht./Wird es denn niemals wieder Nacht?‹ *Oberlin* blickte ihn unwillig an und wollte gehen …« Man spürt die Distanz, die auch den gesunden *Lenz* von den vielen getrennt haben mag, man fühlt mit, wenn bei der Ankunft *Kaufmann*s mit seiner Braut *Lenz* das Zusammentreffen »unangenehm« war: »er hatte sich so ein Plätzchen zurechtgemacht, das bißchen Ruhe war ihm so kostbar – und jetzt kam ihm jemand entgegen, der ihn an so vieles erinnerte, mit dem er sprechen, reden mußte, der seine Verhältnisse kannte.« Es wird bei alledem eine Sphäre deutlich, die den großen Geist einsam sein läßt. Noch mehr, wir spüren die Ratlosigkeit, die immer stärkere Zerrissenheit, die Unmöglichkeit, einen gewissen Standpunkt zu finden, eine Sicht auf die Welt und das Ich zu haben. Er »kam in ängstliche Träume« und fing an, »wie *Stilling*, die Apokalypse zu lesen, und las viel in der Bibel.« Bei *Oberlin*s Reise in die Schweiz fällt es ihm »auf das Herz«: »Er hatte, um seine unendliche Qual loszuwerden, sich ängstlich an alles geklammert; er fühlte in einzelnen Augenblicken tief, wie sehr er sich alles nur zurechtmache; er ging mit sich um wie mit einem kranken Kinde. Manche Gedanken, mächtige Gefühle wurde er nur mit der größten Angst los; da trieb es ihn wieder mit unendlicher Gewalt darauf. …« Ja es wird auch verständlich, wie die Suizidversuche schon am Anfang und später immer mehr frustane Bemühungen sind, sich aus der Qual zu lösen, nicht eigentlich zu sterben: … »ein dunkler Instinkt trieb ihn, sich zu retten. Er stieß an die Steine, er riß sich mit den Nägeln; der Schmerz fing an, ihm das Bewußtsein wiederzugeben. Er stürzte sich in den Brunnenstein, aber das Wasser war nicht tief, er patschte darin ...« Und gegen Ende der Novelle, wo sich die Suizidversuche häufen: »Die halben Versuche zum Entleiben, die er indes fortwährend machte, waren nicht ganz ernst. Es war weniger der Wunsch des Todes – für ihn war ja keine Ruhe und Hoffnung im Tode –, es war mehr in Augenblicken der fürchterlichsten Angst oder der dumpfen, ans Nichtsein grenzenden Ruhe ein Versuch, sich zu sich selbst zu bringen durch physische Schmerz.« Oder: »Oft schlug er sich den Kopf an die Wand oder verursachte sich sonst einen heftigen physischen Schmerz.« Ich wüßte nicht zu sagen, wo im psychiatrischen Schrifttum diese Gedanken über die Entstehung des psychotisch geprägten Selbstmordes so prägnant ausgesprochen wären. Ich glaube auch nicht, daß diese Tendenz »sich zu sich selbst zu bringen« nur für die genialen Schizophrenen wie *Lenz* vorbehalten bleibt. Einfühlbar bis zu einem gewissen Grade, wenigstens in der Richtung des Erlebens, wird selbst der Höhepunkt der Qual etwa da, wo *Büchner* berichtet: »Sein Zustand war indessen immer trostloser geworden. Alles, was er an Ruhe aus der Nähe *Oberlin*s und aus der Stille des Tals geschöpft hatte, war weg; die Welt, die er hatte nutzen wollen, hatte einen ungeheuren Riß; er hatte keinen Haß, keine Liebe, keine Hoffnung – eine schreckliche Leere und doch eine folternde Unruhe, sie auszufüllen. Er hatte nichts. Was er tat, tat er nicht mit Bewußtsein, und doch zwang ihn ein innerlicher Instinkt. Wenn er allein war, war es ihm so entsetzlich einsam, daß er beständig laut mit sich redete, rief, und dann erschrak er wieder, und es war ihm, als hätte eine fremde Stimme mit ihm gesprochen.« Man wird von der Interpretation des Stimmenhörens hier absehen wollen – übrigens hat *Büchner* sie an anderen Stellen als elementarere Phänomene nicht so gefällig erklärt; man denke etwa an das Ende der *Lenz*schen Predigt – doch wird in dieser Gegenüberstellung von Ausgeleertsein und folternder Unruhe ein wesentliches Moment psychotischer Verfassung begriffen. Nehmen wir die jähen Veränderungen im Verhalten, nehmen wir die Traumähnlichkeit des Erlebens, die »Ich-Schwäche«: »Dachte er an eine fremde Person, oder stellte er sie sich lebhaft vor, so war es ihm, als würde er sie selbst; er verwirrte sich ganz, und dabei hatte er einen unendlichen Trieb, mit allem um ihn im Geiste willkürlich umzugehen – die Natur, Menschen, nur *Oberlin* ausgenommen, alles traumartig, kalt.« Nehmen wir die Spaltungstendenzen: »Eigentlich nicht er selbst tat es, sondern ein mächtiger Erhaltungstrieb; es war, als sei er doppelt, und der eine Teil suche den anderen zu retten und riefe sich selbst zu; ...« Alles das will uns plausibel, exakt, in den Grundzügen schizophren und nachvollziehbar vorkommen beim Lesen. Aber dann bleibt ein Rest, eine Dunkelheit, in der *Lenz* auch von *Büchner* allein gelassen werden muß, die fern von allem Fragen nach dem Warum, fern von aller möglichen psychodynamischen Erhellung rätselhaft bleibt. Rätselhafter als das Woher und Wozu und die Weisen, sich damit herumzuplagen beim Gesunden? Ist die Kluft zwischen unserem Erleben und dem des uns Nächsten soviel kleiner als die zwischen uns und unserem psychotischen Patienten?

Am Ende der *Büchner*schen Novelle ist man geneigt, die These von der grundsätzlichen Uneinfühlbarkeit schizophrenen Erlebens zu bezweifeln. Nicht deswegen, weil Motivationen aufgehellt worden wären, weil angstvolles und abstruses Erleben auf seine Wurzeln zurückgeführt worden wäre, weil es gelungen wäre, auch nur ein Stück weit der Wahnthematik in ihre Verästelungen hinein zu folgen, sondern einzig deswegen, weil durch die Sprache und Form der Aussage eine innere Verfassung, ein Fremdheitserlebnis und ein Erlebnis des Nichtmehrbewältigenkönnens mit dem daraus resultierenden Vernichtungsgefühl und Ausgehöhltsein zugleich so dargestellt wird, daß es dem Leser, und nicht nur dem psychiatrischen, dann evident wird. Liest man die letzten Sätze: »Er tat alles, wie es die andern taten; es war aber eine entsetzliche Leere in ihm, er fühlte keine Angst mehr, kein Verlangen, sein Dasein war ihm eine notwendige Last. – So lebte er hin ...« Liest man diese Sätze, dann meint man mitbekommen zu haben, wie eine solche Krankheit im Defekt mündet, in einer Abkapselung vom eigentlichen Leben, einer Möglichkeit dumpfen Existierens, die als einzige übrigbleibt. Gleichviel, wie weit Stoffwechselveränderungen, organisch sich auswirkende Funktionsstörungen beteiligt sein können bei diesem »energetischen Potentialverlust«, ein wesentlicher Faktor für das Zustandekommen des »schizophrenen Defekts« wird uns hier plastisch vor Augen geführt. Immer steckt ein Stück Reaktion auf das nicht zu bewältigende Erleben darin, immer ist das Nicht-mehr-ertragen-Können mit einem bewahrenden Nicht-mehr-ertragen-Müssen verknüpft.

*Rümke*s Forderung nach der Darstellung der »geformten Oberfläche«, seine Feststellung, daß »Autoren, die die Oberfläche in allen Formen und Varianten nachzuzeichnen in der Lage sind« und uns dabei »einen tieferen Einblick in die menschliche Existenz« zu geben imstande sind, »als diejenigen, die uns eine Einsicht in die versteckten Tiefen zu geben« bemüht sind, scheint mir am Beispiel der *Büchner*schen Novelle »Lenz« glänzend bestätigt. Der runde und geschlossene Entwurf des Krankheitsbildes einer Schizophrenie könnte ebensogut heute wie vor 125 Jahren aufgezeichnet sein. Diese Form des Krankseins hat sich nicht gewandelt. Bei den Überlegungen darüber, ob sich psychische Krankheitsbilder unter veränderten Lebensbedingungen und Umwelteinflüssen anders zeigen, ist diese Feststellung wichtig. Sind es müßige Kalkulationen, wenn man sich vorzustellen sucht, wieviel rascher die Psychiatrie vorangekommen wäre, falls einer ihrer Großen im vorigen Jahrhundert auf dieses geschlossene Bild einer Krankheitseinheit gestoßen wäre? Kranke dieser Art waren damals wie heute zu sehen. Erst *Kraeplin* gelang 1896 eine Sonderung der »Dementia praecox«, bis dahin hob sich die Gestalt dieser Psychose nicht scharf genug vom allgemeinen Irresein ab. *Büchner*s Novelle hat in ihrer Form die Konstituierung des Krankheitsbildes der Schizophrenie vorweggenommen. Hier erhärtet sich die These, daß es einem Dichter gelingen kann, durch besondere sprachliche Aussagen einen im Grunde bekannten Sachverhalt so hinzustellen, daß er plötzlich aufleuchtet und für alle Gestalt gewinnt. Leider hat die Ungunst der Verhältnisse das Bekanntwerden der Novelle verzögert, so daß nun doch erst im Hintendrein ihre Bedeutung auch für die Psychiatrie erkannt wurde. Ist es also durch diese Umstände nicht möglich gewesen, daß der Dichter zur rechten Zeit der psychiatrischen Wissenschaft einen Dienst leisten konnte, so ergibt sich aus diesem Beispiel doch grundsätzlich, welche Möglichkeiten durch eine enge Verbindung zwischen schöner Literatur und Psychiatrie in Aussicht gestellt sind.

In: Gerhard Irle: Der psychiatrische Roman. Schriftenreihe zur Theorie und Praxis der medizinischen Psychologie, hrsg. von E. Wiesenhütter, Bd. 7. Hippokrates Verlag, Stuttgart 1965, S. 75–83.

Bibliografie

Verzeichnis der benutzten Literatur

⟨Hammer, Ludwig Friedrich⟩: Reise ins Steinthal (Ba⟨n⟩ de la Roche), im vogesischen Gebürg oder Wasgau. 178* ⟨1786⟩. In: Die Reisenden für Länder und Völkerkunde. Hrsg. von Johann Georg Friedrich Papst. IV. Band. Nürnberg 1790, S. 1⟨7⟩2–229

Alexis, Willibald: Zur Beurtheilung Hoffmann's als Dichter. In: Aus Hoffmann's Leben und Nachlass. Hrsg. von dem Verfasser des Lebens-Abrißes Friedrich Ludwig Zacharias Werners ⟨d. i. Julius Eduard Hitzig⟩. Zweiter Theil. Berlin 1823

Barth, Christian Gottlob: Ein Besuch bei Oberlin, im Jahr 1824. In: Christotherpe. Ein Taschenbuch für christliche Leser auf das Jahr 1835. Tübingen o. J., S. 249–266

Brockhaus = Allgemeine deutsche Real-Enzyklopädie für gebildete Stände. 12 Bde. Leipzig ⁷1830

Bürger, Gottfried August: Gedichte. Hrsg. von Karl Reinhard. Bd. 2. Göttingen 1796

Concordanz = Büchner, Gottfried: Verbal=Hand=Concordanz, oder exegetisch=homiletisches Lexikon. Jena ⁵1776

Conversations-Lexikon der neuesten Zeit und Literatur. 4 Bde. Leipzig 1833

DSM = Diction⟨n⟩aire des sciences médicales. Bde. 8 und 53. Paris 1814/21

Esquirol/Bernhard = Esquirol, Etienne: Die Geisteskrankheiten in Beziehung zur Medizin und Staatsarzneikunde. In's Deutsche übertragen von W. Bernhard. Bd. 2. Berlin 1838

Esquirol/Hille = Esquirol's allgemeine und specielle Pathologie und Therapie der Seelenstörungen. Frei bearbeitet von Dr. Karl Christian Hille. Nebst einem Anhange kritischer und erläuternder Zusätze von Dr. J. C. A. Heinroth. Leipzig 1827

Goethe = Goethe's Werke. Vollständige Ausgabe letzter Hand. 60 Bde. u. Registerbd. Stuttgart/Tübingen 1827–1842

Heine, Heinrich: Historisch-kritische Gesamtausgabe der Werke ⟨Düsseldorfer Ausgabe⟩. Band 8/1: Zur Geschichte der

Religion und Philosophie in Deutschland. Die romantische Schule. Bearbeitet von Manfred Windfuhr. Hamburg 1979

Heinroth, Johann Christian August: Lehrbuch der Störungen des Seelenlebens vom rationalen Standpunkt aus entworfen. 2 Theile. Leipzig 1818

Hufeland = Encyclopädisches Wörterbuch der medicinischen Wissenschaften. Hrsg. von C. W. Hufeland ⟨bis XIV, 1836⟩ ⟨u. a.⟩. 37 Bde. Berlin 1828–1849

Krafft, Carl Wilhelm: Aus Oberlin's Leben. Nach dem Französischen des Hrn. Heinr.⟨ich⟩ Lutteroth, mit einigen Berichtigungen und Zusätzen. Straßburg 1826

Krug, Wilhelm Traugott (Hrsg.): Allgemeines Handwörterbuch der philosophischen Wissenschaften, nebst ihrer Literatur und Geschichte. Nach dem heutigen Standpuncte der Wissenschaft. 5 Bde. Leipzig 1827–1829

⟨Lavater, Johann Kaspar:⟩ Zwei Gedichte von dem seeligen Lenz. In: Urania, für Kopf und Herz. Hrsg. von J⟨ohann⟩ L⟨udwig⟩ Ewald, Hannover, Bd. 1 (1794), 1. Stück, S. 45–50

Lenz, Jakob Michael Reinhold: Gesammelte Schriften. Hrsg. von Ludwig Tieck. 3 Bde. Berlin 1828

Reil, Johann Christian: Rhapsodieen über die Anwendung der psychischen Curmethode auf Geisteszerrüttungen. Halle 1803

Reil, Johann Christian: Ueber die Erkenntniss der Cur der Fieber. Besondere Fieberlehre. Band 4: Nervenkrankheiten. Halle ²1805

Schubert, Gotthilf Heinrich (Hrsg.): Züge aus dem Leben des Johann Friedrich Oberlin, gewesenen Pfarrers im Steinthal bei Straßburg (= Nro. 1 der kleineren Schriften zur Beförderung eines christlichen Sinnes und Lebens). o. O. ⟨Nürnberg⟩ 1827

Schubert, Gotthilf Heinrich: Berichte eines Visionärs über den Zustand der Seelen nach dem Tode. Leipzig 1837

Steffens, Henrich: Die Revolution. Eine Novelle. 3 Bde. Bd. 1. Breslau 1837

Stoeber, Daniel Ehrenfried: Vie de J. F. Oberlin. Straßburg 1831

Tieck, Ludwig: Der Aufruhr in den Cevennen. Eine Novelle in vier Abschnitten. Erster und zweiter Abschnitt. Berlin 1826

Tieck, Ludwig: Der blonde Eckbert. In: Ludwig Tieck's Schriften. Band 4: Phantasus. Erster Theil. Berlin 1828, S. 144–172

Winckelmann, Johann Joachim: Gedanken über die Nachahmung der griechischen Werke in der Malerei und Bildhauerkunst. In: ders.: Sämtliche Werke. ⟨Hrsg.⟩ von Joseph Iselein. Bd. 1. Donauöschingen 1825

Winckelmann, Johann Joachim: Geschichte der Kunst des Altertums. In: ders.: Sämtliche Werke. ⟨Hrsg.⟩ von Joseph Iselein. Bd. 6. Donauöschingen 1825

Weiterführende Literatur

Büchner, Georg: Lenz. Studienausgabe. Im Anhang: Johann Friedrich Oberlins Bericht »Herr L.......« in der Druckfassung »Der Dichter Lenz, im Steintale« durch August Stöber und Auszüge aus Goethes »Dichtung und Wahrheit« über J. M. R. Lenz. Hrsg. von Hubert Gersch. Stuttgart 1984 (2. erw. Aufl. 1998)

Büchner, Georg: Sämtliche Werke und Briefe. Historisch-kritische Ausgabe mit Kommentar. Hrsg. von Werner R. Lehmann. Hamburg ⟨dann München⟩ 1967ff. Bd. I: Dichtungen und Übersetzungen. Bd. II: Vermischte Schriften und Briefe

Büchner, Georg: Werke und Briefe. Münchner Ausgabe. Hrsg. von Karl Pörnbacher, Gerhard Schaub, Hans-Joachim Simm u. Edda Ziegler. München/Wien 1988

Büchner, Georg: Dichtungen. Hrsg. von Henri Poschmann unter Mitarbeit von Rosemarie Poschmann. Frankfurt/M. 1992

Büchner, Georg: Sämtliche Werke und Schriften. Mit Quellendokumentation und Kommentar. Marburger Ausgabe. Hrsg. von Burghard Dedner und Thomas Michael Mayer ⟨in Vorbereitung⟩

Oberlin, Jean-Frédéric: Herr L...... Edition des bisher unveröffentlichten Manuskripts. Ein Beitrag zur Lenz- und Büchner-Forschung. Hrsg. von Hartmut Dedert, Hubert Gersch, Stephan Oswald und Reinhard F. Spieß. In: Revue des Langues Vivantes 42 (1976), S. 357–385

Dedner, Burghard: Büchners *Lenz*: Rekonstruktion der Textgenese. In: Georg Büchner Jahrbuch 8, 1990–94 ⟨1995⟩, S. 3–68

Dedner, Burghard/Gersch, Hubert/Martin, Ariane (Hrsg.): »Lenzens Verrückung«. Chronik und Dokumente zu J. M. R. Lenz von Herbst 1777 bis Frühjahr 1778 (= Büchner-Studien 8). Tübingen 1998 ⟨im Druck⟩

Fellmann, Herbert: Georg Büchners »Lenz«. In: Jahrbuch der Wittheit zu Bremen 7 (1963), S. 7–124

Georg Büchner I/II. Hrsg. von Heinz Ludwig Arnold. München 1979 [²1982] (= Sonderband aus der Reihe text + kritik)

Georg Büchner III. Hrsg. von Heinz Ludwig Arnold. München 1981 (= Sonderband aus der Reihe text + kritik)

GBJb = Georg Büchner Jahrbuch. Für die Georg Büchner Gesellschaft und die Forschungsstelle Georg Büchner – Literatur und Geschichte des Vormärz – am Institut für Neuere Deutsche Literatur und Medien der Philipps-Universität Marburg hrsg. von Burghard Dedner und Thomas Michael Mayer unter Mitarbeit von Reinhard Pabst. Bd. 1ff. 1981ff.

Gersch, Hubert, in Zusammenarbeit mit Stefan Schmalhaus: Die Bedeutung des Details: J. M. R. Lenz, Abbadona und der »Abschied«. Literarisches Zitat und Selbstinterpretation. In: Germanisch-Romanische Monatsschrift, Neue Folge 41 (1991), H. 4, S. 385–412

Gersch, Hubert, in Zusammenarbeit mit Stefan Schmalhaus: Quellenmaterialien und »reproduktive Phantasie«. Untersuchungen zur Schreibmethode Georg Büchners: Seine Verwertung von Paul Merlins Trivialisierung des Lenz-Stoffs und von anderen Vorlagen. In: Georg Büchner Jahrbuch 8, 1990–94 ⟨1995⟩, S. 69–103

Gersch, Hubert, in Zusammenarbeit mit Mitgliedern Münsterscher Forschungsseminare: Der Text, der (produktive) Unverstand des Abschreibers und die Literaturgeschichte. Johann Friedrich Oberlins Bericht »Herr L......« und die Textüberlieferung bis zu Georg Büchners »Lenz«-Entwurf. Kritische Ausgabe der Handschrift. Kritik der Textüberlieferung. Kritik der Quellentextgeschichte zu Büchners »Lenz«-Entwurf. Analyse- und Interpretationsbeispiel (= Büchner-Studien 7). Tübingen 1998

Gersch, Hubert: Georg Büchners »Lenz«. Textkritik. Editions-kritik. Kritische Edition. ⟨Vervielf. Manuskr.⟩ 2 Teile. Müns-ter 1981

Hauschild, Jan-Christoph: Georg Büchner. Biographie. Stutt-gart, Weimar 1993

Herrmann, Hans Peter: »Den 20. Jänner ging Lenz durchs Ge-birg«. Zur Textgestalt von Georg Büchners nachgelassener Erzählung. In: Zeitschrift für deutsche Philologie 85 (1966), S. 251–267

Hinderer, Walter: Georg Büchner: »Lenz« (1839). In: Paul Mi-chael Lützeler (Hrsg.): Romane und Erzählungen zwischen Romantik und Realismus. Neue Interpretationen. Stuttgart 1983, S. 268–294

Irle, Gerhard: Büchners »Lenz«. Eine frühe Schizophreniestu-die. In: ders.: Der psychiatrische Roman. Stuttgart 1965 (Schriftenreihe zur Theorie und Praxis der Psychotherapie 7), S. 73–83

Kitzbichler, Martina: Aufbegehren der Natur. Das Schicksal der vergesellschafteten Seele in Georg Büchners Werk. Opladen 1993

Köhn, Lothar: Lenz und Claude Frollo. Eine Vermutung zu Büchners »Lenz«-Fragment. In: Deutsche Vierteljahrs-schrift für Literaturwissenschaft und Geistesgeschichte 66 (1992), S. 667–686

Kubik, Sabine: Krankheit und Medizin im literarischen Werk Georg Büchners. Stuttgart 1991

Martens, Wolfgang (Hrsg.): Georg Büchner. Darmstadt ³1973 (Wege der Forschung 53)

Pilger, Andreas: Die »idealistische Periode« in ihren Konsequen-zen. Georg Büchners kritische Darstellung des Idealismus in der Erzählung Lenz. In: Georg Büchner Jahrbuch 8, 1990–94 ⟨1995⟩, S. 104–125

Pütz, Heinz-Peter: Büchners »Lenz« und seine Quelle. Bericht und Erzählung. In: Zeitschrift für deutsche Philologie 84 (1965). Sonderheft, S. 1–22

Reuchlein, Georg: Bürgerliche Gesellschaft, Psychiatrie und Li-teratur. Zur Entwicklung der Wahnsinnsthematik in der deutschen Literatur des späten 18. und frühen 19. Jahrhun-derts. München 1986

Reuchlein, Georg: Das Problem der Zurechnungsfähigkeit bei E. T. A. Hoffmann und Georg Büchner. Zum Verhältnis von Literatur, Psychiatrie und Justiz im frühen 19. Jahrhundert. Frankfurt am Main/Bern/New York 1985 (= Literatur & Psychologie. Hrsg. von Bernd Urban und Wolfram Mauser. Bd. 14)

Schaub, Gerhard (Hrsg.): Georg Büchner: Lenz. Erläuterungen und Dokumente. Stuttgart 1987

Schings, Hans-Jürgen: Der mitleidigste Mensch ist der beste Mensch. Poetik des Mitleids von Lessing bis Büchner. München 1980

Schmidt, Harald: Melancholie und Landschaft. Die psychotische und ästhetische Struktur der Naturschilderungen in Georg Büchners Lenz. Opladen 1994 (= Kulturwissenschaftliche Studien zur deutschen Literatur)

Seling, Carolin: Büchners *Lenz* als Rekonstruktion eines Falls »religiöser Melancholie«. In: Georg Büchner Jahrbuch 9 ⟨in Vorbereitung⟩

Sengle, Friedrich: Georg Büchner (1813–1837). In: ders.: Biedermeierzeit. Deutsche Literatur im Spannungsfeld zwischen Restauration und Revolution 1815–1848. Bd. III: Die Dichter. Stuttgart 1980, S. 265–331, 1093–1097

Ullman, Bo: Zur Form in Georg Büchners »Lenz«. In: Impulse. Festschrift für Gustav Korlén. Hrsg. von Helmut Müssener und Hans Rossipal. Stockholm 1975, S. 361–382

Den 20.: Büchners Quelle, Johann Friedrich Oberlins Bericht 7.1
Der Dichter Lenz, im Steinthale (s. S. 63), hatte den Monat
(Januar) und das Jahr (1778) genannt.

schwer herab [. . .] gleichgültig: Gefühle von Schwere, von Enge 7.5–9
und Gleichgültigkeit gegen äußere Dinge galten als Kennzeichen
melancholischer Erkrankung.

drängte es ihm in der Brust: Häufiger in der Sprache des jungen 7.12
Goethe, z. B. *Faust I*, V. 458: »Dahin die welke Brust sich
drängt –«; *Werther*, Brief vom 30. August: »wozu mich mein
Herz oft drängt«.

Nur manchmal, wenn [. . .]: Büchner variiert hier bis S. 8.15 7.22
den berühmten »Wenn«-Satz in Werthers Brief vom 10. Mai:
»Wenn das liebe Thal um mich dampft [. . .]; wenn ich das Wimmeln [. . .] fühle, [. . .] wenn's dann um meine Augen dämmert
[. . .]; dann sehne ich mich oft und denke [. . .]«.

riß es ihm in der Brust [. . .] Lust, die ihm wehe that: In dem 8.6–11
Gedicht »Mit schönen Steinen ausgeschmückt« beschreibt auch
Jakob Lenz ein Reißen in der Brust als Mischung von Lust und
Schmerz: »Dies Reißen in der Stirn und Brust,/Der Todesbote,
meine Lust«.

keuchend: Als körperliches Merkmal heftiger seelischer Bewe- 8.7
gung gelegentlich im Sturm und Drang, z. B. Gottfried August
Bürger (1747–1794) in dem Gedicht »Als Molly sich losreißen
wollte«: »wann in diesem Sturm und Drange/keuchend meine
Seele wallt«.

Schneefeld: Real: Champ du Feu, die mit etwa 1100 m höchste 8.19
Erhebung der Nordvogesen gleich oberhalb von Waldersbach.

so weit der Blick [. . .] als Gipfel: Ähnlich drückt auch Ludwig 8.22–23
Tieck (1773–1853) mehrfach die Erfahrung von Einsamkeit auf
Berggipfeln aus, z. B. in seiner 1826 veröffentlichten Novelle
Der Aufruhr in den Cevennen: »So weit das Auge reicht, Blöcke,
Gruppen, Massen von Kalksteinen.«

Es war als ginge ihm was nach: Das Gefühl, von Geistern, Fu- 8.31–32
rien u. dgl. verfolgt zu werden, galt als Melancholiesymptom;

unter einer ähnlichen Verfolgungsphantasie leidet auch Woyzeck in H4,2: »Es ist hinter mir hergegangen bis vor die Stadt.«

9.2 **das Dorf:** Real: das unterhalb des Champ du Feu in etwa halb-
stündiger Entfernung von Waldersbach gelegene Belmont.

9.4 **ruhige, stille Gesichter:** Eine in Beschreibungen des Steintals
häufige Charakterisierung: »Es ist da eine Freundlichkeit und
Offenheit der Gesichter, eine Höflichkeit« (Schubert 1827, S. 6).

9.6 **Pfarrhause:** Das neue, Büchner bekannte Pfarrhaus entstand
erst 1787; das ältere Pfarrhaus war »ein kleines, elendes, bau-
fälliges Haus« mit einem Ess- oder Wohnraum und der Kindsstube im Erdgeschoss, dem Arbeitszimmer, der Schlafkammer
und einem weiteren Zimmer im Obergeschoss.

9.7–8 **die blonden Locken [. . .] das bleiche Gesicht:** Von Lenz' »hängenden Locken« spricht Oberlin, von seinen »blonde⟨n⟩ Haa-
re⟨n⟩« Goethe in *Dichtung und Wahrheit* (s. Dok. 1, S. 63;
Dok. 3, S. 79). Offene Haare waren um 1775 die übliche Haar-
tracht von Handwerkern, aber auch eine an Rousseaus Natür-
lichkeitsideal orientierte Haarmode der jungen Intellektuellen.

9.9 **seine Kleider waren zerrissen:** Entweder als Folge der Wanderung oder weil Lenz um diese Zeit völlig verarmt war.

9.12 **Freund von ....:** Vmtl. eine Arbeitslücke im Manuskript, die
Büchner bei der weiteren Niederschrift gefüllt hätte.

9.14–15 **einige Dramen [. . .] zugeschrieben werden:** Von Jakob Lenz erschienen bis 1778 u. a. die Dramen: *Der Hofmeister*, *Der neue
Menoza* (beide 1774) und *Die Soldaten* (1776). Die Dramen
erschienen ohne Verfasserangabe, wurden also Lenz »zugeschrieben«. – Oberlin las im Juli 1775 von Lenz außer den *Anmerkungen übers Theater* (1774) die Dramen *Der Hofmeister*
und *Der neue Menoza* und notierte dazu in seinem »Bücherjour-
nal«: »von HE. Lenz, e. teutschen Liefländer«.

9.18–19 **das heimliche Zimmer:** Ähnlich charakterisiert auch Schubert
(1827, S. 6) das Steintal: »Der Fremde, der das Steinthal zum
Erstenmale besucht, fühlt sich da alsbald heimathlich.«

9.26 **Kindergesicht:** Schon die Zeitgenossen charakterisierten Lenz
als »Kind« oder »kindlich«, so C. M. Wieland (1733–1813):
»Genie und Kindheit! [. . .] Wir lieben ihn Alle, wie unser eigen
Kind«; »Lenz ist [. . .] wie ein Kind, aber zugleich voller Af-
fenstreiche« (an J. H. Merck vom 9. September 1776 und 13.

Januar 1777); ebenso Goethe: »*Lenz* ist unter uns wie ein krankes Kind« (an Merck vom 16. September 1776).

als träten alte Gestalten [...] aus dem Dunkeln: Die Wiedergewinnung der Erinnerung deutet eine Besserung in Lenz' psychischem Zustand an.   9.27–28

leer: Eine häufig genannte Erfahrung bei melancholischer Erkrankung ist eine mit »Gleichgültigkeit« verbundene und zum Selbstmord führende »schreckliche Leere« (Esquirol, in DSM LIII, S. 226ff.). – Die Angst vor der »Leere« drückt auch Lenz in literarischen Werken aus, so in seinem Gedicht »Allwills erstes geistliches Lied«: »Nein ich schreie – Vater, Retter,/Dieses Herz will ausgefüllt,/Will gesättigt seyn«.   10.3

er war sich selbst ein Traum: Über Melancholiker wurde gesagt, dass sie »sich für einen Schatten, für einen Leichnam« halten (Hufeland XXII, S. 677); Reil (*Rhapsodieen*, S. 69) erklärt dazu: »Auch in Nervenkrankheiten [...] unterscheiden wir die Subjektivität und Objektivität nicht scharf und schnell mehr, sondern werden von ihnen so schwach afficirt, daß wir an beiden zweifeln und uns immer fragen müssen, ob wir träumen oder Realitäten wahrnehmen, ob wir es sind, die empfinden und handeln, oder bloße Zuschauer des Empfindens und Handelns eines andern sind.«   10.7–8

als müsse er immer »Vater unser« sagen: Den innerlichen Zwang, Worte »unaufhörlich«, »mit der größten Geschwindigkeit« zu wiederholen, beschreibt Reil (*Rhapsodieen*, S. 127) im Zusammenhang mit »Catalepsie« oder »Starrsucht des Vorstellungsvermögens«. Einen weiteren Anfall von Starrsucht beschreibt Büchner auch in der darauf folgenden Nacht.   10.9

der Schmerz fing an, ihm das Bewußtsein wiederzugeben: Schmerzzufügung – u. a. durch kalte Bäder – war ein verbreitetes psychiatrisches Heilmittel, v. a. gegen »Starrsucht des Seelenorgans«.   10.12–13

Brunnstein: Der Brunnen, den Büchner kannte, wurde 1820 am Schulhaus von Waldersbach angelegt und bestand aus Sandstein. 1778 stand an derselben Stelle eine hölzerne »Brunnbütte«.   10.13

gewohnt sey kalt zu baden: »Kaltbaden« galt in den 1770er Jahren als Teil des rousseauistischen Erneuerungsprogramms,   10.19

das die Menschen der »Natur näher führen und uns aus dem Verderbnisse der Sitten retten« sollte, wie Goethe sich in *Dichtung und Wahrheit* erinnerte.

10.26 **wenig Wald**: Das Gebiet um das Steintal verfügte aufgrund besonders intensiver Holznutzung über auffällig wenig Wald.

10.27–28 **nach Westen [. . .] Süden und Norden**: Real: das von Osten nach Westen verlaufende Steintal stößt bei Fouday auf das von Südwesten nach Norden verlaufende Breuschtal.

11.4–6 **Die Leute [. . .] grüßten ruhig**: Reiseschilderungen über das Steintal betonen häufig die höfliche Freundlichkeit, mit der Mitglieder von Oberlins Gemeinde diesem, aber auch Fremden begegneten.

11.8–9 **Die Leute erzählten Träume, Ahnungen**: Von den Einwohnern des Steintals wurde berichtet, dass sie »schon früher als ihr Pfarrer und mit ihm zugleich das Ferngesicht ins Geisterreich besaßen« (Schubert 1837, S. 6) und sich mit ihm selbstverständlich über ihre Visionen und Traumgesichter unterhielten. – Büchner ironisiert den Glauben an »Ahnungen« in *Leonce und Lena* I/3: »Ich glaube an Träume. Träumen Sie auch zuweilen Herr Präsident? Haben Sie auch Ahnungen?«

11.9–10 **Dann rasch [. . .] Kanäle gegraben**: Die Oberlin-Biographen betonen wiederholt die Einheit von Frömmigkeit und Tätigkeit in Oberlins Leben: »Hatte er am Sonntage mit dem Ernst und der Wärme, die seine Seele erfüllten, seine Pfarrkinder belehrt und erbaut, so sah man ihn am Montage mit der Hacke auf der Schulter an der Spitze von 200 muntern Arbeitern zum Straßenbau hinausziehen« (*Conversations-Lexikon der neuesten Zeit und Literatur*, III, 1833, S. 301). Zu Oberlins Leistungen gehörten die Erweiterung der Gemeindewege und Straßen und der Bau einer Brücke, die das Steintal an die Straße nach Straßburg anband, sowie der Bau von Gräben zur Ableitung des Wassers.

11.10–11 **die Schule besucht**: Kleinkinderschulen gab es 1778 in allen Orten der Gemeinde Waldersbach; Schulhäuser existierten um 1778 in Waldersbach und in Bellefosse.

11.11 **unermüdlich**: Häufig hervorgehobene Eigenschaft Oberlins, z. B. »⟨l⟩'infatigable Oberlin« (D. E. Stoeber, S. 300), »der unermüdete Pfarrer« (Schubert 1827, S. 52), »mit unermüdlicher Treue« (Barth, S. 256).

diesem ruhigen Auge [. . .] ernsten Gesicht: Das »ruhige Ge- 11.18–19
sicht« ist ein häufig hervorgehobenes Merkmal der charismati-
schen Ausstrahlung des »ehrwürdigen Pfarrer⟨s⟩« Oberlin
(Krafft, S. 56).

schüchtern: Über Lenz' »Schüchternheit« schreibt Goethe in 11.19
Dichtung und Wahrheit (s. S. 79); sie gilt zugleich als Kennzeichen des Melancholikers.

der Alp [. . .] zu seinen Füssen: Nach zeitgenössischer 11.28–29
psychiatrischer Auffassung vorletztes Stadium bei Alpträumen:
Den vom »Alp« Träumenden sei, »als wenn ein Hund, ein Gespenst oder ein anderes Ungeheuer sich ihrem Bette nähere, ihnen die Bettdecke abzerren wolle, ins Bette springe, sich eine Zeit
lang zu den Füßen setze und zuletzt auf die Brust oder Gurgel
zufahre« (Reil, *Cur der Fieber*, IV, S. 587).

seine Glieder waren ganz starr: Symptom der Krankheit, die 11.33
zeitgenössische Psychiater »Starrkrampf des Geistes« oder
»*Catalepsie*« des »Vorstellungsvermögens« nennen und mit »fi-
xem Wahn« in Verbindung bringen. – Jakob Lenz hatte den Ver-
lust der Selbstwahrnehmung bzw. die Vorstellung, bereits gestorben zu sein, in dem Gedicht »Mit schönen Steinen ausgeschmückt« beschrieben: »Dies Reißen in der Stirn und
Brust,/Der Todesbote, meine Lust,/Auch er, auch er läßt mich
allein,/Ach! der Betäubung dumpfer Pein.//Wo war ich doch,
wer war ich doch –/Gefühl voll Angst! ich lebe noch./Ich dachte
schon, ich läg in Ruh,/Und Freundeshand die deckte zu.«

Stellen aus Shakespeare: Neben Johann Gottfried Herder 11.34
(1744–1803) und Goethe war Jakob Lenz der wichtigste
Shakespearekenner und -propagator des Sturm und Drang.

er unterstützte Oberlin, zeichnete: Oberlin verwendete für Un- 12.8–9
terricht und Seelsorge ein vielfältiges Bildmaterial von ethnolo-
gischen, geographischen und anderen Besonderheiten, das von
ihm selbst oder von Helfern hergestellt wurde. Mit den schon im
Oberlin-Bericht mehrfach erwähnten Zeichnungen »unterstützte« Lenz also Oberlins Arbeit.

eines Morgens ging er hinaus: Von Büchner wohl versehentlich 12.11
nicht gestrichen. Durch die folgende »Wie«-Reihung und durch
die Wiederaufnahme in »Er ging des Morgens hinaus« wird die
Mitteilung überflüssig.

12.12–13 **wie ihn [. . .] gehalten hätte**: Entspricht einer Anekdote aus Oberlins Leben sowie einer Stelle in Hes. 3,14: »Da hob mich der Wind auf, und führete mich weg. [. . .] aber des Herrn Hand hielt mich vest.«

12.15 **wie es [. . .] mit ihm gesprochen**: Besonders im Alten Testament und in der Apostelgeschichte spricht Gott nachts mit den Menschen.

12.15–16 **wie Gott so ganz bei ihm eingekehrt**: Erinnert an folgenden Satz aus dem »Bund« mit Gott, den Oberlin am 1. Januar 1760 abschloss: »mache mich immer mehr Seinem Bilde ähnlich; kehre mit Ihm bey mir ein, mein Herz zu reinigen und zu stärken«.

12.16–17 **Loose aus der Tasche**: Oberlin hatte »die Gewohnheit, bei allen Lebensereignissen, wo ihm die Entschließung schwer wurde, die Entscheidung dem Loose zu überlassen, und in dieser Absicht trug er stets eine Dose bei sich, welche zwei Loose enthielt, das eine mit Ja, das andere mit Nein bezeichnet, von welchen er dann nach andächtigem Gebet Gebrauch machte. Es war eine Folge dieser Gewohnheit, dass er bei Allem, was er that, die vollkommene Beruhigung hatte, keinen Fehler begangen zu haben« (*Conversations-Lexikon der neuesten Zeit und Literatur*, III, 1833, S. 302).

12.18 **Seyn in Gott**: Nach 2. Kor. 5,17: »Darum ist Jemand in Christo, so ist er eine neue Creatur.«

12.35 **mit gewaltigen Tönen anredeten**: Dieselbe Vorstellung begegnet in Tiecks 1795/96 publiziertem Briefroman *William Lovell*: »Es war, als wenn mich die Gebirge umher mit entsetzlichen Tönen anredeten«.

13.4–5 **um seinen Schatten [. . .] Regenbogen von Strahlen**: Ein mehrmals von Goethe, aber auch einmal von Oberlin beschriebenes optisches Phänomen, das Goethe die »herrliche Erscheinung farbiger Schatten« nennt (*Ueber Goethe's Harzreise im Winter*).

13.6–7 **an der Stirn [. . .] sprach ihn an**: Nach verschiedenen Bibelstellen, z. B. Dan. 8,18: »Und da er mit mir redete, sank ich in eine Ohnmacht zur Erde auf mein Angesicht. Er aber rührete mich an.«

13.9 **Theologe**: Jakob Lenz hatte zwischen 1768 und 1771 in Königsberg und eine Zeit lang ab Herbst 1774 in Straßburg Theologie studiert, das Studium jedoch gegen den Willen seines Vaters Christian David Lenz (1720–1798) nicht abgeschlossen.

von den verschiedenen Seiten: Auch aus den anderen Ortsteilen 13.19–20
der Gemeinde. Der Gottesdienst wurde im Steintal jeden zweiten
Sonntag in Waldersbach, an den anderen Sonntagen abwech-
selnd in Fouday und Belmont (dort in dt. Sprache) abgehalten.

die schmalen Pfade zwischen den Felsen: Die engen Pfade und 13.20
der Felsreichtum des Tals werden in zeitgenössischen Beschreibungen häufiger genannt.

Menschenstimmen begegneten sich: Reisebeschreibungen be- 13.29–30
tonten häufig das hohe Niveau des mehrstimmigen Kirchen-
gesanges im Steintal, so z. B. den »Gesang mehrerer Mädchen,
die, bald allein, bald von einem Baß oder Tenor, bald von der
ganzen Gemeinde begleitet, einen oder etliche Verse absangen«
(Hammer, S. 195).

hatte sein Starrkrampf [. . .] Gefühl unendlichen Wohls: Zu 13.33–35
»Starrkrampf« vgl. die Erläuterung zu 11.33. – Büchner berichtet über eine ähnliche Erfahrung in Briefen an seine Verlobte
Wilhelmine Jaeglé (1810–1880): »Ich habe nicht einmal die
Wollust des Schmerzes und des Sehnens. Seit ich über die Rhein-
brücke ging, bin ich wie in mir vernichtet, ein einzelnes Gefühl
taucht nicht in mir auf.« »Die Frühlingsluft löste mich aus meinem Starrkrampf« (Briefe vom Januar und März 1834). – Das
Wohltuende von Schmerz und Tränen gegenüber dem Gefühl
von Leere betont auch Jakob Lenz häufig, z. B. in *Der neue Menoza* III/11: »was Ihr dem Unglücklichen nehmen wollt, sein
Schmerz, ⟨ist⟩ sein einziges höchstes Gut [. . .]; jetzt muß ich
meine Wonne in Thränen und Seufzern suchen, und wenn Ihr
mir die nehmt, was bleibt mir übrig, als kalte Verzweiflung«.

Er sprach einfach: Oberlin-Darstellungen betonen häufig: 13.35–14.1
»Sein Vortrag war einfach, ganz nach ihrer Fassungskraft«
(Krafft, S. 56f.).

von materiellen Bedürfnißen [. . .] gen Himmel leiten: Büchner 14.4–5
betrachtete »das nothwendige Bedürfnis« und »materielle Interessen« als Triebfedern revolutionärer Empörungen. Er habe, so
schrieb er seinen Eltern im Juni 1833, »in *neuerer* Zeit gelernt,
daß nur das nothwendige Bedürfniß der großen Masse Umän-
derungen herbeiführen kann«. Zweck seiner Flugschrift *Der
Hessische Landbote* war es, »die *materiellen* Interessen des
Volks mit denen der Revolution zu vereinigen« (Aussage August

Beckers). Lenz scheint in seiner Predigt dagegen den religiösen Gewinn zu betonen, den ein Christ aus seinen Leiden zieht. So nannte auch Jakob Lenz im Brief an seinen Vater (18. November 1775) »Leiden das große Geheimnis unserer Religion«, und auch Oberlin äußerte sich »über die Leiden der Zeit und ihren Nutzen für die Ewigkeit« (Schubert 1837, S. 368).

14.7–10   **Laß in mir [. . .] sey mein Gottesdienst**: Die ersten zwei Verse sind nicht nachgewiesen; die letzten zwei variieren Verse aus der dritten Strophe des verbreiteten pietistischen Kirchenliedes »Eines Krancken« mit den Anfangsversen »Gott, den ich als liebe kenne,/Der du kranckheit auf mich legst« von Christian Friedrich Richter (1676–1711).

> »Leiden ist ietzt mein geschäffte,
> anders kann ich ietzt nichts thun,
> als nur in dem leiden ruhn;
> leiden müssen meine kräfte,
> leiden ist ietzt mein gewinst,
> das ist ietzt des Vaters wille,
> den verehr ich sanft und stille;
> leiden ist mein gottesdienst.«

Büchner zitiert dieselben Verse in *Woyzeck* H4,17.

14.7   **heil'gen Schmerzen**: Entspricht den in Kirchengesangbüchern häufig belegten »heiligen Leiden Christi«.

14.12   **Das All war für ihn in Wunden**: Bezieht sich auf die religiöse Bedeutung der Wunden Christi, wie z. B. in 1. Petr. 2,24: »durch welches Wunden ihr seyd heil worden«.

14.13–27   **ein anderes Seyn [. . .] über den Bergen**: Eine gleiche Kussvision schildert Büchner außer in *Leonce und Lena* II/4 auch im Brief an Wilhelmine Jaeglé vom Januar 1834: »Ich glühte, das Fieber bedeckte mich mit Küssen und umschlang mich wie der Arm der Geliebten. Die Finsterniß wogte über mir, mein Herz schwoll in unendlicher Sehnsucht, es drangen Sterne durch das Dunkel, und Hände und Lippen bückten sich nieder.« – Eine ähnliche Kussvision schildert aber auch Jakob Lenz' Gedicht »Der verlorene Augenblick, die verlorene Seligkeit«: »Ich sah die Erscheinung;/Und war's kein Traum?/[. . .]/In weißen Gewölken/

Mit Rosen umschattet,/Duftete sie hinüber zu mir,/[. . .]/Ich lag im Geist ihr zu Füßen,/Mein Mund schwebt über ihr,/Ach! diese Lippen zu küssen,/Und dann mit ewiger Müh/Den süßen Frevel zu büßen. –« – Zu weiteren Anregungen gehört Werthers Bericht über nächtliche Träume von seiner Geliebten (Brief vom 21. August): »wenn ich von schweren Träumen aufdämmre [. . .]. Ach, wenn ich dann noch halb im Taumel des Schlafes nach ihr tappe, und darüber mich ermuntere – Ein Strom von Thränen bricht aus meinem gepreßten Herzen, und ich weine trostlos einer finstern Zukunft entgegen.« – Lenz' Erfahrung entspricht zugleich der religiösen Ekstase, über die z. B. die hl. Therese berichtet hatte: Während der Ekstase war sie »eine halbe oder ganze Stunde« lang halb unbewusst, empfand eine Art Todeswollust und erwachte weinend aus ihrer Entzückung. – Reil (*Rhapsodieen*, S. 128) berichtet über die Ekstasen eines elfjährigen Mädchens: »Es hörte, sah und fühlte nichts. Bald nachher bekam es schwache Zuckungen im Gesichte, erwachte aus seiner Entzückung, wie aus einem tiefen Schlaf und erzählte seine Offenbarungen und Visionen, in denen es Gott, Christum und alle Auserwählte gesehen, gesprochen und sogar geküßt zu haben versicherte.«

sein Haupt sank auf die Brust: Hier wahrscheinlich als Zeichen von Beruhigung.   14.21

sie sey gewiß todt: Später (26.27–28) betont Lenz seine Schuldgefühle wegen des Todes seiner Mutter.   14.34

im Gebirge [. . .] auf manchen Berghöhen: Oberlin glaubte, die »Gabe, Geister zu sehen«, sei v. a. in kargen Gebirgslandschaften wie dem Steintal verbreitet: »es liegt hoch und kalt; der Boden ist unfruchtbar, unsere Bergeshöhen sind einsam und still« (Schubert 1837, S. 305f.).   15.4–7

durch das Schauen [. . .] Somnambulismus versetzt: Von dem als Somnambulismus (Schlafwandeln) bezeichneten hypnotisch-traumähnlichen Zustand nahmen manche Zeitgenossen an, er könne auch durch »magnetisch wirkende Substanzen, z. B. Metalle, Wassermassen« erzeugt werden (Brockhaus, X, 1830, S. 365), und er erlaube höhere Erkenntnisse als der Wachzustand: »Im psychischen Schlaf- oder Nachtleben, d. h. im Traume, treten also die niedern Seelenkräfte: Gefühl, Phantasie, Ah-   15.8–10

nungsvermögen, vorwaltend auf, während die Gesammtheit der
höhern, d. h. die Intelligenz, ruht. [. . .] Und weil in diesem Zustande die niedern Seelenkräfte in einer ungewöhnlich hohen
Wirksamkeit erscheinen, so haben Viele dadurch sich täuschen
lassen, und, vermöge dieser Täuschung, den Somnambulismus
für einen viel höhern Zustand erklärt, als das wachende, intel-
ligente Leben« (ebd., S. 363).

15.31 **seiner einfachen Art**: Häufig genanntes Charakteristikum
Oberlins: »Alles, was er Religiöses vortrug, war höchst einfach«
(Henrich Steffens I, S. 250).

15.32–35 **Farbentäfelchen [. . .] durch eine Farbe repräsentirt würde**: In
Offb. 21,19f. heißt es über das »Neue Jerusalem«, die zwölf
»Gründe der Mauern und der Stadt« seien »geschmücket mit
allerley Edelgesteinen«, der erste mit Jaspis, der zweite mit Sa-
phir usw. Oberlin setzte diese zwölf Edelsteine und Farben in
Beziehung einerseits zu den zwölf Aposteln, andererseits zu
grundlegenden religiösen und moralischen Qualitäten des Menschen und ließ z. B. als Charaktertest Besucher und Gemeinde-
mitglieder einen Lieblingsstein aus seiner Sammlung auswählen.

16.2 **wie Stilling die Apocalypse zu lesen**: In populären Auslegungen
der Offenbarung des Johannes, also der Apokalypse, hatte Heinrich Jung-Stilling (1740–1817) u. a. behauptet, dass das Ende
der Welt unmittelbar bevorstehe. Lenz und Goethe kannten Stilling aus dessen Studienzeit in Straßburg (1769–1772); Oberlin
und Stilling schätzten einander sehr und gelten zusammen mit
Johann Kaspar Lavater (1741–1801) als Häupter der religiösen
Erweckungsbewegung um 1800.

16.2–3 **Apocalypse zu lesen, und las viel in der Bibel**: Die zeitgenössische Psychiatrie untersagte religiösen Melancholikern das »Grü-
beln und Speculiren über die Abgründe des menschlichen Wis-
sens, unverständiges, ja unreines mit Leidenschaft getriebenes
Bibellesen, besonders unermüdetes, Tag und Nacht fortgesetztes
Studium der Apocalypse« (Heinroth, *Störungen des Seelenle-*
bens I, S. 304).

16.4 **Kaufmann**: Christoph Kaufmann (1753–1795), in den 1770er
Jahren bekannt und berüchtigt als ungebärdiger Genieapostel
und als religöser Schwärmer, hatte im Mai 1777 eine Reise nach
St. Petersburg unternommen und dabei Lenz' Vater in Dorpat

besucht. Anfang November 1777 beherbergte er den völlig verarmten, in Zürich auffällig gewordenen Lenz in Winterthur. Von dort brach er Anfang Januar 1778 mit seiner Braut Anna Elisabeth Ziegler (1750–1826), mit Lenz und anderen auf, um Freunde, darunter auch Oberlin, für den 2.–4. Februar 1778 zu seiner Hochzeit einzuladen. Kaufmann vermittelte den Kontakt zwischen Oberlin und Jakob Lenz; als dieser in Waldersbach eintraf, führte er sich deshalb als »Freund K⟨aufmann⟩s« ein und rechnete mit dessen baldiger Ankunft am gleichen Ort. Die Mehrzahl dieser Fakten ist dem Oberlin-Bericht zu entnehmen. Büchners Erzählung lässt dagegen auf ein zufälliges und für Lenz jedenfalls »unangenehmes Zusammentreffen« schließen.

so ein Plätzchen: *Werther*-Sprache, so Werther am 26. Mai: 16.6
»Auch hier habe ich wieder ein Plätzchen angetroffen [. . .]. So vertraulich, so heimlich hab' ich nicht leicht ein Plätzchen gefunden, [. . .] fand ich das Plätzchen so einsam.«

das bischen Ruhe war ihm so kostbar: Jakob Lenz und seine   16.6–7
Freunde äußern sich 1777 und 1778 wiederholt über Lenz' Ruhebedürftigkeit: »Lenzen aber müßen wir nun Ruhe schaffen. Es ist das einzige Mittel, ihn zu retten« (Lavater am 3. Dezember 1777).

man sprach von Literatur: In seinen Aussagen über Kunst folgt   16.16–17
Büchners Lenz u. a. verstreuten Bemerkungen Goethes »über Kunst« aus den frühen 1770er Jahren sowie Lenz' *Anmerkungen übers Theater*. Kaufmann folgt in seinem Widerspruch gegen Lenz bekannten Urteilen des Kunsthistorikers und -theoretikers Johann Joachim Winckelmann (1717–1768).

idealistische Periode: Büchner denkt an die auf den Sturm und   16.17–18
Drang der 1770er Jahre folgende Literaturperiode, deren Beginn etwa Goethes Prosa-*Iphigenie* und Gotthold Ephraim Lessings Versdrama *Nathan der Weise* (beide 1779) markieren und die bis in Büchners Zeit hinein andauerte. Unter Büchners Zeitgenossen urteilte Willibald Alexis (*Beurtheilung Hoffmann's*, S. 334f.): »Die kurz vergangene idealistische Periode spukt noch allzusehr hervor. Der Hochmuth läßt sich in mancherlei Gestalten immerfort blicken. Es ist immer nur noch Herablassung, wenn ein Idealist sich bückt, um auf die Stimmen zu hören, welche ihm von den niedrigen Gegenständen zugeflüstert werden.« Auch

Büchner beschuldigte in einem Brief an seine Eltern vom 28. Juli 1835 »die sogenannten Idealdichter«, sie hätten in ihren Werken »fast nichts als Marionetten mit himmelblauen Nasen und affectirtem Pathos, aber nicht Menschen von Fleisch und Blut gegeben«.

16.21–22   **immer noch erträglicher [. . .] die Wirklichkeit verklären woll-ten**: So auch Lenz in den *Anmerkungen übers Theater*: »nach meiner Empfindung schätz ich den Charakteristischen, selbst den Carrikaturmahler zehnmal höher als den Idealischen«. Gleichzeitig mit Büchner urteilte auch Heinrich Heine (DHA VIII, 157), »daß jene hochgerühmten hochidealischen Gestalten, jene Altarbilder der Tugend und Sittlichkeit, die Schiller aufgestellt, weit leichter zu verfertigen waren als jene sündhaften, kleinweltlichen, befleckten Wesen, die uns Goethe in seinen Werken erblicken läßt«.

16.23–24   **Der liebe Gott [. . .] sie seyn soll**: So auch mehrfach Jakob Lenz im Widerspruch gegen die Forderung, Kunst solle nur die »schöne Natur« wiedergeben, z. B. in *Der neue Menoza* V/2: »Kerl! was geht mich deine schöne Natur an? [. . .] willst unsern Herrngott lehren besser machen?« Ebenso verteidigt Büchner im Brief an die Eltern vom 28. Juli 1835 sein eigenes Drama *Danton's Tod*: »Wenn man mir übrigens noch sagen wollte, der Dichter müsse die Welt nicht zeigen wie sie ist, sondern wie sie sein solle, so antworte ich, daß ich es nicht besser machen will, als der liebe Gott, der die Welt gewiß gemacht hat, wie sie sein soll.«

16.28   **ob es schön, ob es häßlich ist**: Ähnlich hatte auch Goethe mehrfach für das Schöne und das Hässliche das gleiche Recht in der Kunst gefordert, so etwa in seiner Übersetzung von *Diderots Versuch über die Mahlerey*: »Die Natur arbeitet auf Leben und Daseyn, auf Erhaltung und Fortpflanzung ihres Geschöpfes, unbekümmert ob es schön oder häßlich erscheine«; oder in der Kritik an J. G. Sulzer in den *Frankfurter Gelehrten Anzeigen* von 1772: »Was wir von Natur sehen, ist Kraft [. . .]; schön und häßlich, gut und bös, alles mit gleichem Rechte neben einander existirend.« Ebenso schrieb Büchner in *Danton's Tod* I/1: »Die Gestalt mag nun schön oder häßlich seyn, sie hat einmal das Recht zu seyn wie sie ist.«

16.31–33   **in Shakespeare finden [. . .] Göthe manchmal entgegen**: Büchner urteilt ähnlich im Brief an die Eltern vom 28. Juli 1835: »Mit einem Wort, ich halte viel auf Goethe und Shakspeare, aber sehr wenig auf Schiller.«

ins Feuer werfen: Biblisch, z. B. Matth. 3,10: »welcher Baum nicht gute Früchte bringet, wird abgehauen, und ins Feuer geworfen«.   16.33

Holzpuppen: In der zeitgenössischen Kunstkritik häufig auch für Marionetten, Automaten oder maschinengleiche Wesen.   17.1

Idealismus: Lenz denkt wohl an die kunsttheoretische Forderung, dass der Künstler »die reine, vom Natürlichen gleichsam entkleidete, Idealität« darstellen solle (Krug, I, 1827, S. 58). Mit ähnlichen Worten kritisierte Büchner im Brief an seine Eltern vom Februar 1834 den »Aristocratismus« als »die schändlichste Verachtung des heiligen Geistes im Menschen«.   17.1

Man versuche es [. . .] Leben des Geringsten: Ähnlich urteilte Goethe in *Dichtung und Wahrheit* über Lenz (s. S. 83): »Die Poesie die er in das Gemeinste zu legen wußte, setzte mich oft in Erstaunen.« Der Ausdruck »des Geringsten« ist bibelsprachlich, z. B. Matth. 25,45: »Was ihr nicht gethan habt Einem unter diesen Geringsten, das habt ihr mir auch nicht gethan.«   17.2–4

altdeutschen Schule: Gemeint ist die dt. Malerei des frühen 16. Jh.s mit ihren bekannten Vertretern Albrecht Dürer (1471–1528), Hans Holbein d. J. (1497–1543) sowie Lukas Cranach (1472–1553). Zu Anfang des 19. Jh.s hatte sich eine Auseinandersetzung um die sog. neu-altdt. Schule entwickelt, innerhalb deren sich »ungefähr seit 1802 und vornehmlich unter den dt. Künstlern in Rom eine große Neigung« entwickelt hatte, nicht den antiken Vorbildern nachzueifern, wie Winckelmann es gefordert hatte (vgl. Erl. zu 17.35–18.4), sondern Religion und Geschichte »im Geiste der *altdeutschen* und der ihr vorangehenden *altitalienischen* Malerkunst [. . .] darzustellen« (Brockhaus, III, 1830, S. 171).   17.16

Menschheit: Hier ist nicht die Gesamtheit aller Menschen, sondern das Wesen des Menschen einschließlich seiner Schwächen und Grenzen gemeint.   17.29

ohne etwas vom Äußern hinein zu kopiren: Ähnlich beschließt Werther (26. Mai), sich an die Naturgegenstände zu halten, »ohne das mindeste von dem meinen hinzu zu thun«.   17.34–35

17.35–18.4 **wo einem kein Leben [. . .] Raphaelische Madonna:** Lenz und
Kaufmann beziehen sich auf Winckelmann, den theoretischen
Wegbereiter der »idealistischen Periode«. In seiner 1764 er-
schienenen *Geschichte der Kunst des Alterthums* (11. Buch,
3. Kap.) forderte Winckelmann anlässlich der »Statue des Apollo im Belvedere« vom Künstler, er solle »Schöpfer einer himmlischen Natur [. . .] werden, um den Geist mit Schönheiten, die
sich über die Natur erheben, zu erfüllen: denn hier ist nichts
Sterbliches, noch was die menschliche Dürftigkeit erfordert.
Keine Adern noch Sehnen erhizen und regen diesen Körper, sondern ein himmlischer Geist, der sich wie ein sanfter Strom er-
gossen, hat gleichsam die ganze Umschreibung dieser Figur er-
füllet.« – In den 1755 publizierten *Gedancken über die Nachahmung der griechischen Wercke in der Mahlerey und Bildhauer-
Kunst* (I, S. 21f., und I, S. 36f.) schrieb er über denselben Apoll:
»Unsere Natur wird nicht leicht einen so vollkommenen Körper
zeigen«, sie wird »über die mehr als menschlichen Verhältnisse
einer schönen Gottheit in dem vaticanischen Apollo nichts bilden können«. Er vermerkte über die in der Dresdner Gemälde-
galerie befindliche »Madonna mit dem Kinde« (um 1513) des
ital. Renaissancemalers Raffaello Santi (1483–1520): »Sehet die
Madonna, mit einem Gesichte voll Unschuld und zugleich einer
mehr als weiblichen Größe, in einer selig ruhigen Stellung, in
derjenigen Stille, welche die Alten in den Bildern ihrer Gotthei-
ten her⟨r⟩schen ließen. Wie groß und edel ist ihr ganzer
Contur!/Das Kind auf ihren Armen ist ein Kind über gemeine
Kinder erhaben durch ein Gesicht, aus welchem ein Strahl der
Gottheit durch die Unschuld der Kindheit hervorzuleuchten
scheinet.«

18.7 **ich thue das Beste daran:** So Lenz mehrfach in den *Anmerkungen übers Theater*, z. B. S. 221: »da doch gemeinhin die warme
Einbildungskraft des Zuschauers [. . .] das beste dazu thun
muß«.

18.7–8 **Der Dichter [. . .] am Wirklichsten giebt:** So Lotte im *Werther*,
16. Juni: »der Autor ist mir der liebste, in dem ich meine Welt
wieder finde, bei dem es zugeht, wie um mich, und dessen Geschichte mir doch so interessant und herzlich wird, als mein eigen häuslich Leben«.

Die Holländischen Maler [. . .] als die Italiänischen: Die »idealistische« Kunstauffassung bevorzugte die »idealisierende« Tradition der ital. Malerei des 15. und 16. Jh.s; Büchners Lenz bevorzugt demgegenüber die realistische Malweise und die Alltagswelt der niederl. Maler.

18.10–11

Christus und die Jünger von Emaus: Gegenstand des Gemäldes ist die Begegnung zwischen dem wieder auferstandenen Christus und zwei Jüngern, über die in Lk. 24,13–35 berichtet wird.

18.14–15

Lenzens Vater: Christian David Lenz (1720–1798), Pfarrer in Dorpat, seit 1779 Generalsuperintendent des Herzogtums Livland. – Briefe von Lenz' Vater an Kaufmann sind nicht überliefert.

19.5

sein Sohn sollte zurück: C. D. Lenz verlangte, dass Jakob Lenz nach Livland zurückkehren und Geistlicher werden sollte; Freunde von Lenz wie Gottlieb Konrad Pfeffel (1736–1809) und Oberlin schlossen sich diesem Wunsch an. Jakob Lenz dagegen hatte bereits »im Oktober 1772« Johann Daniel Salzmann (1722–1812) anvertraut, er wolle »niemals Prediger [. . .] werden«. Büchner kannte diesen Konflikt u. a. aus Lenz' Gedicht »An meinen Vater. Von einem Reisenden«: »da winkest du/Sehnsuchtsvoll mir, Vater! zu./Ich seh's und wein' und knie vor dem Bilde –/Aber ach der schweifende Wilde/Fliehet neuen Thorheiten zu.«

19.6

wie er sein Leben [. . .] ein Ziel stecken: Häufig in frühen Lenz-Charakterisierungen. So heißt es im Lenz-Nachruf der *Allgemeine⟨n⟩ Literatur-Zeitung* von 1792: Lenz »verlebte den besten Theil seines Lebens in nutzloser Geschäftigkeit, ohne eigentliche Bestimmung«.

19.7–8

wenn ich nicht [. . .] Gegend sehen könnte: Ähnlich Büchner an Wilhelmine Jaeglé ⟨gegen Ende Januar 1834⟩: »Hier ist kein Berg, wo die Aussicht frei sei. [. . .] ich kann mich nicht an diese Natur gewöhnen.«

19.11–12

Immer steigen, ringen: Ähnlich Jakob Lenz in dem Gedicht »Allwills erstes geistliches Lied«: »Soll ich ewig harren, streben,/Hoffen und vertraun in Wind?/Nein ich laß dich nicht, mein Leben,/Du beseligst denn dein Kind.«

19.18–19

Lavater [. . .] durch Briefe kannte: Johann Kaspar Lavater (1741–1801), namhafter philosophisch-religiöser Schriftsteller,

19.28

spielte eine bedeutende Rolle in der Erweckungsbewegung und als Vertreter des Sturm und Drang, heute v. a. bekannt als Begründer der Physiognomik (*Physiognomische Fragmente*, 1775f.). Oberlins erster Brief an Lavater datiert vom 26. Juli 1774.

19.34–35 **wie mit einem kranken Kinde**: Ähnlich Werther (13. Mai): »Auch halte ich mein Herzchen wie ein krankes Kind«, sowie Goethe in einem Brief an Johann Heinrich Merck (1741–1791) vom 16. September 1776: »*Lenz* ist unter uns wie ein krankes Kind.«

20.11 **Er durchstrich das Gebirg**: Ähnlich Büchner in einem Brief an Karl Gutzkow (1811–1878) von 1835: »die beiden Stöber sind alte Freunde, mit denen ich zum Erstenmal das Gebirg durchstrich«.

20.16 **verlassene Hütte**: Im Steintal gab es bis in Höhenlagen von 900 m Gemeindeweiden, und östlich von Waldersbach lag auf 935 m die Sennerei Sommerhof.

20.29–33 **Weiter weg im Dunkel [...] ihr Lied fortsang**: Ähnlich beschreibt Tieck in der Novelle *Der blonde Eckbert* eine alte Frau in einer Hütte: »Indem ich aß, sang sie mit kreischendem Ton ein geistliches Lied. [...] und dann wies sie mir in einer niedrigen und engen Kammer ein Bett an.«

21.6–9 **wie er eine Stimme [...] gerungen wie Jakob**: Von ähnlichen übersinnlichen Erfahrungen hatte Oberlin schon zuvor berichtet (s. S. 15). Die Erzählung des Bergheiligen folgt verschiedenen biblischen Vorbildern, u. a. der Erzählung vom Ringen des Patriarchen Jakob mit Gott (1. Mose 32,24–30): »Da rang ein Mann mit ihm, bis die Morgenröthe anbrach. Und da er sahe, dass er ihn nicht übermochte, rührete er das Gelenk seiner Hüfte an; und das Gelenk seiner Hüfte ward über dem Ringen mit ihm verrenket. [...] Er sprach: Du sollst nicht mehr Jakob heissen, sondern Israel. Denn du hast mit GOtt und mit Menschen gekämpfet, und bist obgelegen. [...]. Und Jakob hieß die Stätte Pnuel; denn ich habe GOtt von Angesicht gesehen, und meine Seele ist genesen.«

22.20–22 **Die Welt war ihm [...] nach einem Abgrund**: Eine ähnliche Einsicht in den selbstzerstörerischen Charakter der Welt gewinnt auch Werther (18. August): »Es hat sich vor meiner Seele, wie ein

Vorhang, weggezogen, und der Schauplatz des unendlichen Lebens verwandelt sich vor mir in den Abgrund des ewig offenen Grabes. [. . .] ich sehe nichts, als ein ewig verschlingendes, ewig wiederkäuendes Ungeheuer.«

helle: Die Bedeutung ist hier unklar; vielleicht im Sinne von »übersinnlicher Einsicht« oder von »verständlich« oder als Unterbrechung der krankhaft-melancholischen Verdüsterung der Welt wie in Büchners Brief an Wilhelmine Jaeglé ⟨vom 8. oder 9. März 1834⟩: »Der erste helle Augenblick seit acht Tagen. [. . .] ein dumpfes Brüten hat sich meiner bemeistert, in dem mir kaum ein Gedanke noch hell wird.«   22.21

Je höher er [. . .] stürzte er hinunter: Ähnlich hatte der Schüler Büchner in der *Rezension* des Aufsatzes eines Mitschülers (*Über den Selbstmord*) Fausts Begegnung mit dem Erdgeist charakterisiert: Durch seine letzten Worte mache der Erdgeist »*Faust* von seiner Höhe in den Abgrund der Verzweiflung hinabstürzen«.   22.28–29

Ahnungen von seinem [. . .] Chaos seines Geistes: Ähnlich Werther (15. November): »da die Vergangenheit wie ein Blitz über dem finstern Abgrunde der Zukunft leuchtet«.   22.30–32

Auf dieser Welt [. . .] der ist weit: Anfangsverse verbreiteter Lieder. Eine Fassung, aus der Büchner auch in *Woyzeck* zitiert, lautet: 23.8–9

    1. Auf dieser Welt hab' ichs keine Freud'.
    Ich hab' einen Schatz und der ist weit;
    Er ist so weit weg über Berg und Thal,
    Daß ich ihn nicht mehr sehen kann.

    2. Und als ich kam über Berg und Thal,
    Da sang eine schöne Nachtigall.
    Sie sang so hübsch, sie sang so fein,
    Sie sang, ich sollt' ihr Liebling sein.

    3. Und als ich kam zur Vorstadt hinein,
    Da stand mein Schatz schon Schildwacht drein.
    Mir blutt mein Herz, es thut mir weh,
    Sie sagt, ich sollt' nicht von ihr gehn.

4. Mein Schatz wollt' mir einen Thaler gebn,
Ich sollt' mir ihr zu Bette gehn.
Zu Bette gehn, das wär mir fein,
Behalt' deinen Thaler, ich schlaf' allein.

5. Guten Morgen, lieber Goldschmied mein,
Schmied' meinem Schatz ein Ringelein,
Ein Ringelein an die rechte Hand,
Damit ziehn wir ins Schwabenland.

6. In's Schwabenland, da mag' ich nicht,
Die langen Kleider trag' ich nicht,
Lange Kleider und spitze Schuh,
Die kommen keiner Dienstmagd zu.

23.10 **Das fiel auf ihn**: Lenz bezieht das Lied auf seine eigene Situation. Dass ein Kranker »Alles auf sich bezieht, und daher auch in Unterredungen die Äußerungen Anderer leicht mißdeutet«, galt als Melancholiesymptom (Hufeland XXII, S. 654). Mit den Worten »Das fiel auf sie wie ein Donnerschlag« beschreibt der Erzähler in *Werther* Lottes Reaktion, nachdem ihr Mann Albert sie anweist, Werther Pistolen auszuhändigen, und dazu die ominösen Worte sagt: »Ich lasse ihm glückliche Reise wünschen.«

23.34–35 **als stieß' ich [. . .] an den Himmel**: So auch der Alptraum des zum Tode verurteilten Camille Desmoulins in *Danton's Tod* IV/3: »Die Himmelsdecke mit ihren Lichtern hatte sich gesenkt, ich stieß daran, ich betastete die Sterne, ich taumelte wie ein Ertrinkender unter der Eisdecke.«

24.1–3 **im Arm [. . .] läuft mir fort**: Ähnlich hatte Jakob Lenz in dem Gedicht »Ausfluß des Herzens« geschrieben: »Wo ist dies Bild? – Daß ich's umfasse –/Das Bild Gottes, das meine Seele liebet./Ich wollt' es durchschauen, mein Arm sollt' an es verwachsen.«

24.8 **religiösen Quälereien**: Büchner variiert Goethes Vorwurf in *Dichtung und Wahrheit*, Lenz habe sich durch »Selbstquälerey« ruiniert (s. S. 81), indem er auf eine zentrale Feststellung der zeitgenössischen Melancholiediskussion zurückgreift: »Der Kranke ist gewöhnlich übertrieben gewissenhaft, quält sich mit dem Gedanken eigener Schlechtigkeit und Lasterhaftigkeit, glaubt täglich neue Sünden zu begehen, und hält manchmal Alles, was er thut, für sündhaft« (Hufeland XXII, S. 666).

Je leerer, je kälter [. . .] jetzt so todt: Ähnlich vergleicht Werther   24.9–13
verschiedentlich den gegenwärtigen »toten« Zustand mit dem
früheren »lebendigen«, so z. B. am 18. August: »Bruder, nur die
Erinnerung jener Stunden macht mir wohl. Selbst diese Anstrengung, jene unsäglichen Gefühle zurück zu rufen, wieder auszusprechen, hebt meine Seele über sich selbst, und läßt mich dann
das Bange des Zustandes doppelt empfinden, der mich jetzt umgibt.« – Über die Totenstarre ihrer Gefühle klagt auch Marie in
Woyzeck H4,16: »*Marie (schlägt die Hände zusammen).* Herrgott! Herrgott! Ich kann nicht! Herrgott gieb mir nur soviel, daß
ich beten kann. [. . .] *(schlägt sich auf die Brust)* Alles todt!«

Er verzweifelte an sich selbst: Über melancholische Depressio-   24.13
nen hieß es in der psychiatrischen Literatur, dass sie »bald als
Furcht und Angst, und in den höheren Graden als Verzweiflung« (Hufeland XXII, S. 646) auftreten. Verzweiflung galt
theologisch als Sünde: »Wer verzweifelt, giebt alles verlohren,
wirft die Hofnung, selig zu werden, weg [. . .]. Sie komt nicht
von Gott, noch auch von seinen Gnaden=Mitteln, [. . .] sondern
aus dem Abgrund der verfinsterten und verderbten Natur, aus
dem schändlichen Unglauben« (*Concordanz 1776*, S. 1184f.,
Art. »Verzweifelt«).

fastete, lag träumend am Boden [. . .] fastete einen Tag: Lenz   24.16–20
folgt den Bußübungen, mit denen der jüdische König David nach
2. Sam. 12,15–18 den Tod seines Kindes zu verhindern suchte:
»und der Herr schlug das Kind, das Urias Weib David geboren
hatte, daß es todtkrank war. Und David ersuchte Gott um das
Knäblein, und fastete, und ging hinein, und lag über Nacht auf
der Erde. Da standen auf die Ältesten seines Hauses, und wollten
ihn aufrichten von der Erde; er wollte aber nicht, und aß auch
nicht mit ihnen. Am siebenten Tage aber starb das Kind.«

Am dritten Hornung [. . .] sey gestorben: Tatsächlich besuchte   24.17–18
Lenz am 2. Februar 1778 in Fouday ein todkrankes Kind, kam
am 3. Februar wieder, und zwar wenige Augenblicke nach dem
Tod des Kindes. Er versuchte, das Kind zu erwecken, was ihm
jedoch – wie Oberlin schrieb – »fehl geschlagen« war (s. S. 66).
Dagegen hatte August Stöber (1808–1884) im Jahr 1831 mit-

geteilt: »Eines Morgens, in Oberlins Abwesenheit, erfuhr er, daß in Voudai, bei Waldbach, ein Mädchen, Namens Friederike, gestorben war; sogleich suchte er einen alten Sack hervor, bestrich Gesicht und Haare mit Asche und machte sich auf, das Kind ins Leben zu rufen.« (Dok. 4, S. 90) Aus der »eintägigen« rituellen Vorbereitung auf eine Krankenheilung wurde damit eine kürzere rituelle Vorbereitung auf eine Totenerweckung. Offenbar verknüpfte Büchner die bei Oberlin und Stöber überlieferten Motive so, dass Lenz sich jetzt rituell darauf vorbereitet, eine schon am Vortag Gestorbene aufzuerwecken.

24.19 **fixe Idee**: Melancholietypische Wahnvorstellung, die »die Seele unwillkürlich beherrscht« und so »einen geisteskranken Zustand bewirkt« (Brockhaus, IV, S. 136).

24.21–24 **das Gesicht mit Asche [. . .] wie ein Büßender**: Biblisch häufig genannte Bußübungen.

24.35–25.2 **er betete [. . .], daß Gott ein Zeichen an ihm thue [. . .], wie er schwach und unglücklich sey**: Nach Psalm 86, dem »Gebet eines Bedrängten«: »Herr, neige deine Ohren, und erhöre mich, denn ich bin elend und arm. [. . .] Alle Heiden, die du gemacht hast, werden kommen, und vor dir anbeten, Herr, und deinen Namen ehren; Daß du so groß bist, und Wunder thust [. . .]. Thue ein Zeichen an mir, daß mirs wohl gehe.«

25.4–6 **faßte die Hände [. . .] Stehe auf und wandle!**: Neutestamentarisch mehrfach überlieferte Heilungs- oder Belebungsformel. Vgl. v. a. Mk. 5,39–41: »Und er ging hinein, und sprach zu ihnen: Was tummelt und weinet ihr? Das Kind ist nicht gestorben, sondern es schläfet. Und sie verlachten ihn. Und er trieb sie alle aus, und nahm mit sich den Vater des Kindes, und die Mutter, und die bey ihm waren, und ging hinein, da das Kind lag. Und er griff das Kind bey der Hand, und sprach zu ihr: Talitha kumi, das ist verdolmetschet: Mägdlein, ich sage dir, stehe auf! Und alsbald stand das Mägdlein auf und wandelte.«

25.11–27 **Er rannte [. . .] ging zu Bette**: Die Episode ist angeregt durch die Erzählung von einem Atheismusanfall in Tiecks 1826 erschienener Novelle *Der Aufruhr in den Cevennen*: »Bald ruhend, bald wandelnd kam ich mit der Dämmerung der Frühe in die Gegend von Sauve hinüber, im innern Gebirge. Sie kennen, mein Vater, die hohe Lage der dortigen traurigen Landschaft, kein Baum, kein Strauch weit umher, kaum einzelne Grashalme auf dem dürren weißen Kalkboden, und so weit das Auge reicht, Blöcke, Gruppen, Massen von Kalksteinen in allen Formen, wie Menschen, Thiere, Häuser, blendend und ermüdend, umher gestreut, und dazwischen Kiesgerülle, und etwas tiefer das finstre, einsame Städtchen. Hier warf ich mich wieder nieder und schaute in die wüste Zerstörung hinaus, und über mir in den dunkelblauen Himmel hinein. Sonderbar, wie sich hier mein Gemüth verwirrte. Ich kann es in keinen menschlichen Worten wiedergeben, wie mir plötzlich hier jedes glaubende Gefühl, jeder edle Gedanke untersank, wie mir die Schöpfung, die Natur, und das seltsamste Räthsel, der Mensch, mit seinen wunderbaren Kräften und seiner gemeinen Abhängigkeit vom Element, wie toll, widersinnig und lächerlich mir alles dies erschien. Ich konnte mich nicht zähmen, ich mußte unaufhaltsam dem Triebe folgen, und mich durch lautes Lachen erleichtern. Da war kein Gott, kein Geist mehr, da war nur Albernheit, Wahnwitz und Fratze in allem, das kreucht, schwimmt und fliegt, am meisten in dieser Kugel, die denkt, sinnt und weint, und unterhalb frißt und käut. O lassen Sie mich verschweigen, und nicht wieder finden, welche rasende Gebilde meinen Sinn bemeisterten. Vernichtung, todtes kaltes Nichtsein, schienen mir einzig wünschenswerth und edel. Ich war ganz zerstört, und schwer ward mir der Rückweg zum Leben, aber ich fand ihn endlich mit Hülfe des Erbarmenden.«

Titanenlied [. . .] ungeheure Faust: In der griech. Mythologie 25.13–14
die sechs Söhne und sechs Töchter der göttlichen Erstahnen Uranos (»Himmel«) und Gäa (»Erde«). Sie rebellieren gegen Uranos und entmachten ihn. Die Titanen erhielten ihren Namen, weil sie die Hände nach dem Vater ausstreckten.

er lästerte: Häufig beschrieben bei religiösen Melancholikern: 25.17–18
der Kranke »lästert Gott, der sie in die Hölle geschleudert habe« (Esquirol/Hille, S. 261).

er stand nun [. . .] Qual zu wiederholen: Bei Goethe mehrfach 25.29–31
als Merkmal tiefster Depression und Selbstmordnähe, so in *Werther*, Brief vom 12. Dezember: »Ach mit offnen Armen stand ich gegen den Abgrund und athmete hinab! hinab! und verlor mich in der Wonne, meine Qualen, meine Leiden da hinab zu stürzen!«

25.32–33 **Sünde ⟨in⟩ de⟨n⟩ heilige⟨n⟩ Geist**: Älterer Ausdruck für »Sünde wider den heiligen Geist«; eine Sünde, die Gott nicht vergeben kann. Zu Grunde liegt u. a. Mk. 3,29: »Wer aber den heiligen Geist lästert, der hat keine Vergebung ewiglich, sondern ist schuldig des ewigen Gerichts.« Die Sorge, diese Sünde begangen zu haben, gehört zu den typischen Angstvorstellungen von Patienten, die an »religiöse⟨r⟩ Schwermuth« leiden: »Der Kranke glaubt z. B. [. . .] eine Sünde wider den heiligen Geist begangen zu haben, von Gott zu ewiger Verdammniß bestimmt zu sein u. dgl., und dieser Wahn bildet den Hauptinhalt seiner Krankheit« (Hufeland XXIII, S. 695f.).

26.1 **aus der Schweiz zurück**: Dem Oberlin-Bericht hatte Büchner entnehmen können, dass Oberlin seinen ursprünglichen Reiseplan, »in die Schweiz zu gehen«, nicht ausführte (s. S. 65).

26.3–4 **seinen Freunden in Elsaß**: Vmtl. Lenz' Freunde G. K. Pfeffel und Franz Christian Lerse (1749–1800), die Oberlin in Colmar besucht und kennen gelernt hatte.

26.6 **Pfeffel**: Der bekannte elsässische Dichter Gottlieb Konrad Pfeffel (1736–1809) leitete ab 1773 ein Internat. Lenz war vom 17. bis 24. Januar 1777 Gast Pfeffels in Colmar gewesen. Pfeffel war Patenonkel von Büchners Freund August Stöber.

26.6–7 **das Leben eines Landgeistlichen glücklich preisend**: Über den protestantischen Landgeistlichen, dessen Beruf in der späten Aufklärung und im Sturm und Drang allgemein gepriesen wurde, schreibt z. B. Goethe in *Dichtung und Wahrheit*: Er ist »Priester und König in Einer Person. An den unschuldigsten Zustand, der sich auf Erden denken läßt, an den des Ackermanns, ist er meistens durch gleiche Beschäftigung, so wie durch gleiche Familienverhältnisse geknüpft; er ist Vater, Hausherr, Landmann und so vollkommen ein Glied der Gemeine.«

26.9–10 **Ehre Vater und Mutter**: »4. Gebot« nach 2. Mose 20,12: »Du sollst deinen Vater und deine Mutter ehren.« Lenz hatte sich mehrfach sehr positiv über das 4. Gebot geäußert und z. B. geschrieben: »Abweichung von diesen Regeln ist Abweichung von unserer wahren Existenz« (*Meinungen eines Laien*, 1775). Wegen seines Verhaltens gegen seine Eltern hatte Lenz schon 1775 sich und seinen leidenden Zustand als »ein Exempel der Gerichte Gottes« aufgefasst.

Unruhe [. . .] Seufzer [. . .] Thränen [. . .] sprach abgebrochen   26.11–19
[. . .] rang die Hände: Verhaltensmerkmale des Melancholikers:
»Der Kranke geht oft unruhig, seufzend, jammernd, weinend,
wehklagend und händeringend hin und her« (Hufeland XXII,
S. 646). Biblisch gilt »Unruhe« als Strafe Gottes.

verstoßen: Biblisch als Abwendung Gottes vom Menschen wie   26.13
in Psalm 88,15: »Warum verstößest du, Herr, meine Seele, und
verbirgest dein Antlitz vor mir?«

Doch mit mir ist's aus!: Öfter als Formel gegen Ende des *Wer-*   26.14
ther vor dessen Selbstmord: »Siehst du, mit mir ist's aus«; »Und
mit mir ist es aus!« (Briefe vom 4. und 14. Dezember).

verdammt in Ewigkeit: Häufige Angstvorstellung bei »Melan-   26.15
cholia religiosa – Schwermuth mit dem passiven Wahn einer
schweren Versündigung, weshalb der Kranke nicht beten, nicht
selig werden zu können, von Gott verlassen und für immer ver-
worfen zu sein glaubt« (Hufeland XXII, S. 677).

ich bin der ewige Jude: In der mittelalterlichen Volkssage der   26.15
Schuhmacher Ahasverus, der den kreuztragenden Christus auf
dem Weg nach Golgatha nicht an seinem Haus ausruhen ließ
und deshalb verdammt wurde bis zum Jüngsten Gericht ohne
Rast auf Erden umherzuwandern. Der Stoff wurde im Sturm
und Drang mehrfach literarisch bearbeitet. Die Identifikation
mit der Figur des Ewigen Juden ist eine wiederkehrende Angstvorstellung von Melancholikern.

dafür sey Jesus gestorben: Nach 1. Kor. 15,3: »daß Christus   26.16
gestorben sey für unsere Sünden«.

o gute Mutter [. . .] ein Mörder: Lenz hatte gegenüber seiner   26.28–29
Mutter Dorothea Lenz (geb. 1721), die vmtl. Alkoholikerin war
und schon lange vor ihrem Tod im Juli 1778 gekränkelt hatte,
starke Schuldgefühle. Gedanken über ihren Tod, das Wiederse-
hen mit dem Sohn und dessen Weigerung, nach Hause zurückzukehren, gehören zu den wiederkehrenden Themen der Briefe
zwischen Lenz und seinen Eltern. Lenz äußerte im September
1775: »Beide hab ich Armer beleidiget – muß sie beleidigen.«
Der Vater gab Jakob nach dem Tod der Mutter Schuld an ihrem
Sterben.

ein Bündel Gerten [. . .] Lenz mitgegeben hatte: Warum man   27.2–4
Oberlin diese Gerten mitgegeben hatte, ist unklar.

27.8–9 **seine Sache mit Gott allein ausmachen**: Nach protestantischer Auffassung geschieht die Sündenvergebung allein aufgrund der göttlichen Gnade und nicht durch Akte der Buße oder mithilfe kirchlicher Amtsgewalt.

27.10 **Sünden tilgen**: Nach Psalm 51,3: »Gott, sey mir gnädig nach deiner Güte, und tilge meine Sünden nach deiner großen Barmherzigkeit.«

27.10–11 **zu dem möchte er sich wenden**: Nach Jes. 45,22: »Wendet euch zu mir, so werdet ihr selig, aller Welt Ende; denn ich bin Gott, und Keiner mehr.«

27.12 **tiefsinnig**: »Tiefsinn«, »Trübsinn« und »Starrsinn« bilden die Hauptklassen der Melancholie (Hufeland XXII, S. 670f.).

27.16 **Friederike**: Für den zeitgenössischen Leser identifizierbar als Name der von Goethe geliebten und in *Dichtung und Wahrheit* ausführlich beschriebenen Sesenheimer Pfarrerstochter Friederike Brion (1752–1813). Büchners Zeitgenossen beurteilten die Friederiken-Episode in Goethes Leben als schönstes Liebesidyll der dt. Geschichte, und gerade in den 1830er Jahren entwickelte sich ein internationaler Friederiken- und Sesenheim-Tourismus. – Büchners Freund August Stöber leitete in einer Veröffentlichung von 1831 Jakob Lenz' Krankheitsgeschichte aus dessen Liebe zu Friederike Brion ab, wobei er sich außer auf Briefe von Lenz v. a. auf den Oberlin-Bericht stützte. Oberlin hatte selbst schon die Namensgleichheit der »Geliebten« mit dem in Fouday gestorbenen Kind, »das Friederike hieß«, hervorgehoben, und Lenz' von Oberlin mitgeteilte Rede: »Verfluchte Eifersucht! ich habe sie aufgeopfert – sie liebte noch einen Andern«, ließ sich zwanglos auf Friederikes Verhältnis zu Goethe beziehen (s. S. 67). Büchner übernahm diese Rede in seinen Text, ließ aber Name und Geschlecht des Kindes unerwähnt. Die Tatsache, dass er gegenüber August Stöbers Hervorhebungen und gegenüber Oberlins dreimaliger Nennung (s. S. 66, 68, 70) den Namen »Friederike« nur noch einmal erwähnt, erlaubt die Vermutung, dass der Name bei Vollendung der Erzählung fortgefallen wäre.

27.27–28 **er lag im Bett ruhig und unbeweglich**: Vgl. auch 33.3–9. Als Symptome der Melancholie belegt: »In anderen Fällen oder zu anderen Zeiten steht oder sitzt er Stundenlang fast unbeweglich, in sich versunken und vor sich hinstarrend; oder er bleibt im Bette liegen, um ungestört seinen Gedanken nachzuhängen. [. . .] Dies kann so weit gehen, daß der Kranke sich nicht zu den unbedeutendsten Dingen entschließen kann, zum Aufstehen, Ankleiden, Ausgehen, Essen u. s. w.« (Hufeland XXII, S. 657f.).

alle Figuren an die Wand gezeichnet: Dass Kranke »hierogly- 27.31–32
phische Figuren an die Wände« zeichnen, wird mehrfach in der psychiatrischen Literatur beschrieben. Der Arzt Johann Valentin Müller hatte deshalb sogar seine Kollegen aufgefordert, »die Einfälle abzuschreiben und zu sammeln, welche Wahnsinnige aus langer Weile und in vernünftigen Augenblicken auf die Wände ihrer Behältnisse schreiben« (*Entwurf der gerichtlichen Arzneywissenschaft nach juristischen und medizinischen Grundsätzen für Geistliche; Rechtsgelehrte und Aerzte*, 4 Bde., 1796–1801, hier Bd. 2, S. 6).

Alles aus Müssiggang [. . .] die Vierten lasterhaft: Übernom- 28.1–3
men in *Leonce und Lena* I/1: »Müßiggang ist aller Laster Anfang. – Was die Leute nicht Alles aus Langeweile treiben, sie studiren aus Langeweile, sie beten aus Langeweile, sie verlieben, verheurathen und vermehren sich aus Langeweile und sterben endlich an der Langeweile. [. . .] dieße Helden, dieße Genies, dieße Dummköpfe, dieße Sünder, dieße Heiligen, dieße Familienväter.«

ich mag mich [. . .] zu langweilig: Ähnlich Georg an Wilhelm 28.4–5
Büchner (1817–1892) am 2. September 1836: »Ich bin ganz vergnügt in mir selbst, ausgenommen, wenn wir Landregen oder Nordwestwind haben, wo ich freilich einer von denjenigen werde, die Abends vor dem Bettgehn, wenn sie den einen Strumpf vom Fuß haben, im Stande sind, sich an ihre Stubenthür zu hängen, weil es ihnen der Mühe zuviel ist, den andern ebenfalls auszuziehen.«

Lenz huschte ihm [. . .] wollen es untersuchen: In *Leonce und* 28.10–14
Lena (II/2) werden derartige Untersuchungen als Zeitvertreib behandelt: »*Leonce. (Aufspringend).* Komm Valerio, wir müssen was treiben, was treiben. Wir wollen uns mit tiefen Gedanken abgeben; wir wollen untersuchen, wie es kommt, daß der Stuhl auf drei Beinen steht und nicht auf zwei, daß man sich die Nase mit Hülfe der Hände putzt und nicht wie die Fliegen mit den Füßen.«

28.22–23 **zum Fenster heruntergestürzt**: Auch in Lenz' 1776 publiziertem Drama *Der Engländer* (III/1 und V/1) stürzt die Hauptfigur aus dem Fenster.

28.26 **Schulmeister in Bellefosse**: Gemeint ist der als vertrautester Helfer Oberlins bekannte Sebastian Scheidecker (geb. 1747), Lehrer in Bellefosse, einem Filialort der Gemeinde Waldersbach.

28.28 **schon oft gesehen**: Sebastian Scheidecker begleitete Jakob Lenz am 3. Februar 1778 bei dessen Gang nach Fouday, war Augenzeuge des Erweckungsversuchs und brachte den verstörten Lenz schließlich wieder nach Waldersbach zurück.

29.3–5 **Bald ging er langsam [. . .] mit verzweifelnder Schnelligkeit**: Übertrieben langsames oder übertrieben schnelles Gehen galten als Verhaltensweisen des Melancholikers; dieser geht »langsam und mit einer Vorsicht, als wollte er irgend eine Gefahr vermeiden, oder er geht hastig, immer aber in einer Richtung« (Esquirol/Bernhard, S. 242).

29.11 **seine Brüder**: Büchner hatte vermutlich – Oberlins Bericht folgend (s. S. 69) – »seinen Bruder« geschrieben.

29.18–19 **sich für einen Mörder ausgäbe**: Wiederkehr der fixen Idee von 26.28–29.

30.6 **einige Briefe**: Oberlins Bericht nennt als Empfänger der Briefe »eine adelige Dame in W.«, offenbar Charlotte von Stein (1742–1827), und »die Mutter seiner Geliebten« (s. S. 70), vmtl. Magdalena Salomea Brion (1724–1786) in Sesenheim.

30.11 **Stille des Thals**: In zeitgenössischen Berichten häufig genanntes Merkmal des Steintals.

30.13–15 **keinen Haß [. . .] Er hatte Nichts**: Büchner charakterisiert nochmals den Lebensüberdruss (lat. »taedium vitae«; frz. »ennui de vivre«), eine zwischen 1770 (*Werther*) und den 1830er Jahren weit verbreitete psychische Krankheit, die häufig zum Selbstmord führte und die der führende franz. Psychiater Esquirol (DSM LIII, S. 252) mit der Wendung »kein Verlangen [. . .] eine schreckliche Leere« beschrieben hatte. Ähnliche Formeln für die Abwesenheit von Gefühlen bei psychisch Kranken werden in der psychiatrischen Literatur häufiger genannt, z. B.: »Die Gestörten haben keine Wünsche, keine Abneigungen, keinen Haß, keine Zärtlichkeit« (Esquirol, DSM VIII, S. 281).

30.15–16 **und doch zwang ihn ein innerlicher Instinkt**: Ähnliches zwanghaftes Verhalten bei im Übrigen klarem Verstand führt in Büchners Drama *Woyzeck* den Helden zum Mord. Die zeitgenössischen Psychiater stritten über das Vorhandensein derartiger Zwangspsychosen und deren Bedeutung in Straf-, v. a. in Mordprozessen. Ähnlich wie Büchner urteilte Reil (*Rhapsodieen*, S. 308f.) über »Fälle fixirter Ideen ohne Wahnsinn«: »Sie sehn es noch ein, daß ihre Idee ohne Vernunft sey [. . .]. Doch fühlen sie einen blinden Drang, ihr gemäß zu handeln.«

daß er beständig [. . .] mit ihm gesprochen: Büchner beschreibt 30.17–20
einen Zustand, den z. B. Reil (*Rhapsodieen*, S. 68f.) als Erkrankung des »Selbstbewußtseyn⟨s⟩« bezeichnet hatte: »Seine Persönlichkeit ist gleichsam verdoppelt, mit der einen redet er, mit der andern horcht er der Rede zu. [. . .] Wir hören den Laut unserer Sprache, sind aber ungewiß, ob dies wirklich unsere oder eines anderen Sprache sey.«

all' seine geistige [. . .] einem Gedanken hängen: Variante der 30.30–31
Melancholie, in der die »Gemüthsstimmung [. . .] bald an diesen, bald an jenen Gegenstand sich eine Weile anhefte⟨t⟩« und nicht – wie bei einer vorherrschenden fixen Idee – »an einem [. . .] Umstande haften bleib⟨t⟩« (Hufeland XXII, S. 644).

dachte er [. . .] als würde er sie selbst: Entspricht der von Reil 30.31–33
(*Rhapsodieen*, S. 71f.) beschriebenen »Anomalie des Selbstbewußtseyns«, bei der »wir entweder *unsere Persönlichkeit bezweifeln oder unser Ich mit einer fremden Person verwechseln, fremde Qualitäten uns anmaßen und unsere eigenthümlichen Zustände auf andere verpflanzen*«.

mit Allem um ihn [. . .] die wahnwitzigsten Possen auszusin- 30.34–31.4
nen: Entspricht Goethes Charakterisierung in *Dichtung und Wahrheit* von Lenz' Verhalten im Alltag, aber auch in seiner poetischen Praxis (s. S. 79).

Augen starr [. . .] auf das Thier gerichtet: Entspricht dem 31.8–9
»Starrkrampf des Geistes«; vgl. die Erl. zu 11.33 und 13.33–35.

mit den einfachsten Dingen anfangen [. . .] Gedichte her: Ent- 31.23–28
spricht einem von Reil (*Rhapsodieen*, S. 136) als Mittel gegen »Gedankenjagd« angeratenen Vorgehen: Der Kranke solle »bekannte Reime recitiren, die Finger zählen, anfangs einfache Gegenstände langsam [. . .] nennen«. Ähnlich kommen Danton (II/5: »du bist ein Mensch und dann eine Frau und endlich meine

Frau, und die Erde hat 5 Welttheile«) und Camille Desmoulins in *Danton's Tod* (IV/3: »Das bist du, das ich, so! Das ist meine Hand!«) nach ihren Angstträumen zu sich.

31.26 **als sey er doppelt**: Entspricht wiederum der »Anomalie des Selbstbewußtseyns«: »Seine Persönlichkeit ist gleichsam verdoppelt, mit der einen redet er, mit der andern horcht er der Rede zu« (Reil, *Rhapsodieen*, S. 69). Ähnlich erklärt Esquirol den Zustand von Zwangspsychotikern damit, dass sie »die Einheit des Ich« verloren hätten.

31.31–33 **als existire er allein [. . .] er sey das ewig Verdammte**: Häufig beschriebene Angstvorstellungen bei Melancholikern.

31.34–35 **jagte mit rasender Schnelligkeit sein Leben durch**: Entspricht dem Zustand der »Gedankenjagd«: »Bild auf Bild jagt sich, Ideen und Gedanken drängen ungerufen zu« (Reil, *Rhapsodieen*, S. 132f.).

32.20–21 **wär' ich allmächtig [. . .] das Leiden nicht ertragen**: Entspricht einem in *Danton's Tod* III/1 vorgetragenen Argument gegen die Existenz Gottes: »warum leide ich? Das ist der Fels des Atheismus.«

32.25–31 **Die halben Versuche [. . .] durch physischen Schmerz**: Büchner widerspricht damit den Quellen zu seiner Erzählung, in denen Lenz' Gewalthandlungen gegen sich selbst als Selbstmordversuche gedeutet werden; er erklärt Lenz' Gewalthandlungen als Versuche der Selbstheilung, analog zur therapeutischen Schmerzzufügung, z. B. in Fällen von Starrsucht.

32.27–28 **für ihn war ja keine Ruhe und Hoffnung im Tod**: Ähnlich der Titelheld in *Danton's Tod* III/7: »Ja wer an Vernichtung glauben könnte! dem wäre geholfen. Da ist keine Hoffnung im Tod.«

32.31–33 **Augenblicke, wenn sein Geist [. . .] noch die glücklichsten**: Ähnlich wünscht Camille Desmoulins seiner wahnsinnig werdenden Frau: »Der Himmel verhelf' ihr zu einer behaglichen fixen Idee. [. . .] Der glücklichste Mensch war der, welcher sich einbilden konnte, daß er Gott Vater, Sohn und heiliger Geist sey« (*Danton's Tod* IV/5).

33.4 **war heftig**: Merkmal des Melancholikers bei unwillkommenen ärztlichen Anweisungen: Den Umschlag melancholischer Apathie in »momentane Aufgeregtheit, Heftigkeit« beschreibt Hufeland (XXII, S. 647 u. 658) und stellt fest, dass »überhaupt

Furcht, Angst und Verzweiflung momentan in Heftigkeit, Zorn und Wuth umzuschlagen pflegen«.

wie schwer Alles sey: Im Anfangsstadium der Melancholie kommt »es dem Kranken vor«, »als ob eine schwere Last ihn niederdrücke« (Hufeland XXII, S. 678). 33.5

hören Sie denn nicht die entsetzliche Stimme: Ähnlich in *Woyzeck*, H4,1: »Ein Feuer fährt um den Himmel und ein Getös herunter wie Posaunen«, und H4,8: »Wenn die Sonn im Mittag steht und es ist als ging die Welt im Feuer auf, hat schon eine fürchterliche Stimme zu mir geredet.« 33.19–20

das Thal hervor nach Westen: Richtung von Waldersbach nach Fouday. 33.31–32

durch's Gebirg: Jakob Lenz wurde durchs Breuschtal über Rothau, Schirmeck, Molsheim und Entzheim nach Straßburg transportiert. 34.2

keine Ahnung, kein Drang: Ähnlich *Werther* am 12. August über eine junge Frau, die kurz vor dem Selbstmord steht: »alles ist Finsterniß um sie her, keine Aussicht, kein Trost, keine Ahnung!« 34.12

sein Dasein war ihm eine nothwendige Last: Ähnlich Goethe, *Faust* I, V. 1570f.: »Und so ist mir das Dasein eine Last,/Der Tod erwünscht, das Leben mir verhaßt.« Ebenso Lenz in seiner 1776 verfassten und 1797 postum publizierten Erzählung *Der Waldbruder* (4. Teil, 3. Brief): »Das Leben ward ihm zur Last, er zog in der Welt herum von einem Ort zum andern nimmer ruhig und hätte seine Existenz gar zu gern mit eigner Hand verkürzt, wenn er nicht den Selbstmord, ohne dringende Noth, nach seinem Glaubenssystem für Sünde gehalten h⟨ä⟩tte.« 34.20–21

So lebte er hin: Entspricht Lenz' Charakterisierung durch Lavater: »Die mißhandelten Werkzeuge des Denkens stumpften sich ab, und *Lenz* vegetirte bis an sein Ende fort« (*Urania für Kopf und Herz* I, 1794, S. 45). 34.21–22

Suhrkamp BasisBibliothek
Text und Kommentar in einem Band

In der *Suhrkamp BasisBibliothek*, der neuen Taschenbuchreihe mit preiswerten Ausgaben klassischer und moderner Texte, sind bisher folgende Titel erschienen:

Suhrkamp BasisBibliothek 5
Johann Wolfgang Goethe
Die Leiden des jungen Werthers
Kommentar: Wilhelm Große
222 Seiten

Suhrkamp BasisBibliothek 6
Grimms Märchen
Kommentar: Heinz Rölleke
137 Seiten

Folgende Titel der *Suhrkamp BasisBibliothek* sind
in Vorbereitung:

LiteraMedia
Mehr lesen. Mehr hören. Mehr wissen.

Jetzt als Buch, Audio Book und CD-ROM.

LiteraMedia ist der Name für eine zeitgemäße Form der Wissensvermittlung: Literarische Hauptwerke aller Gattungen und Epochen erscheinen gleichzeitig

– als kommentierte Buchausgabe in der *Suhrkamp BasisBibliothek*,
– als Audio Book mit Werklesungen, Kommentaren und Originalaufnahmen im HörVerlag sowie
– als multimediale Lern-CD-ROM mit ergänzenden Materialien, Such- und Bearbeitungsfunktionen bei terzio.

Buch, AudioBook und CD-ROM, die selbstverständlich alle einzeln erhältlich sind, ergänzen sich wechselseitig und verweisen aufeinander. Jede Ausgabe ist eine eigenständige Umsetzung in das jeweilige Medium, kann aber ideal mit den anderen kombiniert werden. Mit LiteraMedia läßt sich Literatur in drei Medien erleben.